“

김관형의

「제20대 대통령선거 이슈」 다시보기

김관형의
「제20대 대통령선거 이슈」 다시 보기

발행 2023년 12월 06일
저자 김관형
펴낸이 한건희
펴낸곳 주식회사 부크크
출판사등록 2014. 07. 15(제2014-16호)
주소 서울특별시 금천구 가산디지털1로 119 A동 305호
전화 1670-8316
E-mail info@bookk.co.kr
ISBN 979-11-410-5775-6

www.bookk.co.kr

“

김관형의
「제20대 대통령선거 이슈」 다시 보기

김관형 지음

BOOKK

<저자소개>

대전에서 태어나 대학에서 회계학을, 대학원에서 세무학을 전공했다. 육군 만기 전역 후인 24세에 세무사 시험에 합격하여 지금까지 조세 전문가로서 활동하고 있다. 33세에 대전시 유성구의회에 더불어민주당 소속 의원으로 정치 입문했고 38세에는 더불어민주당 대전시당 청년위원장 등의 당직을 가지고 활발히 정치 활동을 하고 있다.

■ 약 력

더불어민주당 대전광역시당 청년위원장

한국세무사회 세무연수원 교수

명성세무회계 공동대표 세무사

제8대 유성구의회 의원

제46회 세무사 시험 합격(2009년)

■ 학 력

대전대신고등학교 졸업

충남대학교 회계학과 졸업(경영학 학사, 경영학 석사)

서울시립대학교 세무전문대학원 세무학과 졸업(세무학 박사)

성균관대학교 국정전문대학원 행정학과 재학(행정학 박사과정)

■ 수 상

한국세무사회 공로상(2023년)

국세청장 표창(2023년)

더불어민주당 당 대표 1급 포상 표창(2021년)

한국세무학회 최우수학위논문상(2020년)

대전광역시장 표창(2019년)

대전세무서장 표창(2015년)

<들어가며>

2022년 대선을 앞두고 더불어민주당 이재명 후보와 국민의힘 윤석열 후보의 대립이 치열했다. 정권교체 여론이 월등히 높았음에도 두 후보의 지지율은 비슷했다. 과거 대선과는 다르게 두 후보는 국회의원 이력이 없었으며 친인척과 관련한 의혹들이 쏟아져 나왔다. 2021년 여름부터 나는 KBS 대전 라디오에서 청년 정치인 고정 패널로 출연했다. 청년 정치인답게 신선한 시각과 국민 눈높이에서 문제를 해석하기 위해 노력했다.

방송을 위한 대본을 몇 시간 동안 썼다 지우기를 반복해야만 입장이 명확해지는 느낌이었다. 이 책에 담긴 입장은 시간과 상황에 따라 변하거나 해석이 달라질 수 있다. 하지만 시간이 지나도 변하지 않는 본질적 가치를 전하고자 노력했고, 당시에 작성했던 대본을 바탕으로 책을 엮었다.

생방송 라디오로 격주로 진행된 시사 프로그램에서는 당시 중요한 이슈를 주로 다루다 보니 사건이 완료되지 않은 경우가 많았다. 그때 예상했던 내용이 실제 결과와 다른 사실도 있다. 하지만 결과와 무관하게 당시의 입장과 생각을 그대로 남기는 게 의미 있다고 생각한다.

필자가 더불어민주당 소속이기에 더불어민주당과 이재명 후보 측에서 이슈들을 다루고 있는데, 이 경향성은 나의 철학과 소신이다. 그리고 해당 프로그램이 대전, 세종, 충남 지역의 청년들을 대상으로 한 것이기에 다른 문제에 비해 지역과 청년 문제에 좀 더 무게감이 실릴 수 있다. 독자들께서는 이 점을 고려하여 읽어주시길 바란다.

정치활동을 늘 지지하고 응원하는 가족들에게 늘 고맙다. 함께 방송했던 김연선 진행자님과 안지선 작가님, 박철용 국민의힘 동구의회 의원, 김진욱 청년정의당 대전시당 위원장께도 감사드린다.

마지막으로 정치에 입문하여 가치 있고 보람된 활동을 할 수 있도록 지지해 주신 스승, 조승래 국회의원님께 진심으로 감사를 전한다. 가르쳐주신 정치를 대하는 마음가짐을 앞으로도 간직하고 살아가고자 한다.

2023년 가을

저자 김관형

<추천사>

2017년 12월 겨울. 자신을 정치하고 싶다는 청년이라고 소개한 한 청년의 만남을 아직도 기억한다. 유성구에 소재한 지역 사무실. 따뜻한 등유 난로 위에 손을 맞대고 나는 그에게 '정치를 하는 이유'에 대해 물었고 그는 '보람된 일'을 하고 싶다고 답했다. 이 책은 오늘로부터 6년 전 그때 그 청년이 집필한 책이다.

나는 아직도 정치를 하려는 사람들에게 끊임없이 '정치를 하는 이유'를 상기해야 한다고 말한다. 그리고 저자에게도 끊임없이 사회 이슈에 대해 고민하고 언제라도 입장을 정리해서 표현할 줄 알아야 한다고 조언했다. 이 책은 20대 대선이라는 매우 한정된 기간에서의 이슈들만을 다뤘고 표현도 자극적이거나 과격하지 않았지만, 한 정치인으로서의 고민과 철학, 그리고 소신이 담겨있는 듯해 흥미로웠다.

제20대 대통령 선거의 결과는 불과 득표율 0.7% 차이로 갈렸다. 하지만 그 결과를 낳기까지 얼마나 많은 갈등이 있었고 이런 사건들의 양상이 현재 어떻게 흘러갔는지를 다시금 상기하게 한다. 이 책은 사람들 기억 속에서 지워져 갔던 그때 치열했던 분위기를 고스란히 느낄 수 있게 한다.

그때의 이슈들을 생각하며 나도 한 정치인으로서 어떤 정치를 하는 것이 옳은가에 대한 고민을 하게 되었다. 그리고 더 옳은 정치, 더 좋은 정치를 해야겠다는 다짐을 한다. 마지막으로 저자에게 정치 스승으로서, 그리고 선배로서 응원의 마음을 보낸다.

2023년 가을

국회의원 조승래

<더불어민주당 전국 시·도당 청년위원장 추천사>

정치는 말로 하는 것인데, 오늘날 정치인의 말은 얼마나 무게감이 있을까? 정치인의 말이 일시적 이슈에 가볍게 다뤄지기 쉬운 오늘 자신의 철학과 소신을 바탕으로 김관형 대전시당 청년위원장이 남긴 이 기록은 '정치인의 말'에 무게감을 더하는 행위라는 점에서 소중하다.

-김기현 경북도당 청년위원장-

치열했던 그때가 오히려 더 아름다워 보인다. 아름다운 경쟁으로 마무리될 거 같았던 그때를, 비참한 오늘 바라보니 더욱 그렇다. 이 책은 역사의 현장을 자세히 기록했고 교훈을 준다.

-김영수 충남도당 청년위원장-

20대 대통령선거 이슈를 청년의 시각에서 솔직하고 담백하게 풀어냈다. 청년이 정치를 해야 하는 이유를 다시금 알게 했다.

-노성철 서울시당 청년위원장-

TV로만 간헐적으로 접했던 뉴스들을 시간 순서대로 나열한 걸 보니 긴 역사 드라마 한 편을 본 거 같다. 당시 뉴스를 접했던 내 생각과 실제 결론과 비교하며 읽어보니 매우 흥미롭다.

-박범종 세종시당 청년위원장-

미래는 과거와 현재의 거울입니다. 김관형 저자는 현재 시점에서 과거를 통해 미래를 준비하는 거울을 우리에게 보여주고 소개해 주고 있다.

-서재헌 대구시당 청년위원장-

항상 유쾌한 만남을 가졌던 김관형 위원장의 진중한 모습을 발견할 수 있었다. 정치를 왜 해야 하는지 항상 고민하는 그의 흔적이 고스란히 담긴 글이다.

-신재일 충북도당 청년위원장-

저자의 분석력이 눈에 띄는 대목이라고 생각된다. 특히 시기별 정치적 이슈에 대해서 디테일하게 접근 하고 있으며, 청년들의 시선에서 이야기를 풀어내고 있는 그의 생각들이 잘 스며든 모습이다. 아무쪼록 청년정치의 중심으로 대전뿐만 아니라 대한민국의 미래가 되어가는 "정치인 김관형을 기대하는 하며" "평소 김관형의 성품과 배려에 인간 김관형의 팬으로서" 그와 함께 대한민국 청년정치의 동행인으로 함께 걸을 수 있어서 행복하다.

-오현식 인천시당 청년위원장-

정치적 대립과 횡포가 극심한 시대. 정치가 시민들로부터 외면당하는 정도를 넘어 혐오의 대상으로까지 변해가는 현시점에서 청년정치의 필요성과 시민사회의 화합과 발전의 기반으로서의 정치의 역할에 대한 그만의 통찰이 돋보인다.

-이정환 광주시당 청년위원장-

아! 놀랍다! 김관형 위원장의 세상을 보는 눈과 시대를 꿰뚫는 통찰력은 우리에게 깨달음을 주곤 한다. 그리고 그의 앞날을 응원한다.

-이현택 전남도당 청년위원장-

대통령선거였지만 충청도와 청년과 관련한 이슈와 시각으로 접하니 더 새롭고 흥미로웠다. 그리고 저자는 편견없는 청년의 시각으로 보려고 노력했던 거 같다. 다음세대를 위해 어떤 정치가 필요한지 생각하게 하는 책이다.

-장민수 경기도당 청년위원장-

책을 읽으며 그때를 떠올리니 이재명 대표의 말이 다시 생각한다. "정치는 정치인이 하는 것처럼 보여도 결국 국민이 하는 것이다" 새로운 정치 포부를 다지게 된다.

-전경문 부산시당 청년위원장-

결론을 이미 알고 있지만 오래된 사진 앨범을 보는 것처럼 재밌었다. 과거를 통해 오늘을 알고 내일을 준비할 수 있게 해준 책이라고 생각한다.

-정재환 울산시당 청년위원장-

우리나라 정치의 문제는 양 진영으로 나뉘어 극단으로 대립하며 싸우는 것이다. 정치인들이 서로를 이해하고 정치적 이익이 아닌 국가의 이익을 위해야 한다는 생각을 굳건히 하게 했다.

-정지욱 강원도당 청년위원장-

진짜 청년의 눈으로 새긴 2022년 3월9일. 국가 위기인 현재 상황에서 치열했던 그때를 되돌아보니 성찰할 사건들이 더욱 많아 보인다.

-지상록 경남도당 청년위원장-

한 정치인으로서의 소신을 담아낸 글을 미리 읽어볼 수 있어 영광이었다. 분열된 현재 대한민국 정치를 어떻게 다시 봉합시킬 수 있을까에 대한 물음을 스스로 던지며 읽게 되는 책이었다.

-김 민 제주도당 청년부위원장-

차례

제1장.

2021년 6월

“청년 정치, 변방에서 중앙으로”

1. 청년 정치인 이준석의 돌풍
2. 청년들의 정치 참여가 갖는 의미
3. 국회의원의 부동산 투기 의혹
4. 청년 정치인은 경험이 부족하다는 인식
5. 40세 미만 대통령 선거 출마 제한 규정
6. 만 25세 박성민 청와대 청년 비서관 임명
7. 청년들이 생각하는 시대적 과제 ‘공정’
8. 대선 주자들의 이미지 변신

1. 청년 정치인 이준석의 돌풍

제1야당인 국민의힘의 이준석 후보가 당 대표 선거 여론 조사에서 1위를 차지하고 있다. 당 대표 자리는 다선 국회의원이 어울린다고 생각했다. 국회의원 이력이 없는 이 후보가 1위로 지지받고 있는 사실은 매우 이례적이다. 이 후보의 당 대표 선출은 장기적 관점에서 긍정적인 면이 크다. 청년 정치인도 중책을 맡을 수 있다는 선례가 되기에 그렇다. 또한 당이 특정 지지층에 기대지 않고 국민 전체의 견해를 대변하는 건전한 정당으로 발전할 수 있는 계기가 될 수 있기 때문이다.

하지만 같은 청년 정치인으로서 우려되는 점도 있다. 이 후보지지 여론은 우세하다. 하지만 워낙 중책이다 보니 경험이 부족한 청년 정치인이 그 자리에 올랐을 때 부족한 점이 여실히 드러날 수밖에 없다. 이렇게 되면 대중들은 '역시 청년 정치인은 한계가 있어.'라고 부정적으로 인식할 수 있다.

민주당으로서는 이를 위협 요인으로 인식해야 한다. 지난 4.7 보궐선거[1]에서 더불어민주당이 참혹한 결과를 맞았기에 이를 계기로 당은 분골쇄신하고 있다. 일례로 국민권익위 부동산 조사에서 의혹을 받은 민주당 의원들을 출당조치를 했다. 지도부에서 의혹만으로 이러한 처분을 한다는 것은 매우 이례적인 상황이다. 만약 이 후보가 국민의힘 당 대표가 된다면 국민의힘은 당의 개혁을 도모할 것이다. 그렇다면 더불어민주당의 노력이 상대적으로 희석될 수도 있으므로 혁신을 주도해야 하는 민주당으로서는 긴장해야 한다.

---

1 2021년 4월 7일 서울시장, 부산시장을 비롯하여 15자리를 두고 치러진 보궐선거다. 선거 결과 서울시장 선거에서는 오세훈 국민의힘 후보(57.5%)가 박영선 민주당 후보(39.18%)를, 부산시장 선거에서는 박형준 국민의힘 후보(62.67%)가 김영춘 민주당 후보(34.42%)를 큰 차이로 이겼다.

2021년 6월 11일 오전 10시 55분, 이준석 후보가 국민의힘 초대 당 대표로 선출되었다. 그는 국회의원을 배출하고 있는 주요 정당의 대표 중에서는 한국 역사상 가장 젊은 지도자가 되었다.

(사진 출처: 민중의소리)

2. 청년들의 정치 참여가 갖는 의미

청년들의 정치 참여는 다음 이유에서 중요하다. 첫째, 청년들이 당면한 문제를 이슈화할 수 있다. 둘째, 여러 가지 현안에 대해 참신한 시각에서의 접근이 가능하다. 마지막으로 정당정치 발전을 위한 선순환 구조를 만들 수 있다. 정당 차원에서 차세대 정치인을 발굴한다면 자신의 입신양명만을 위해 카멜레온처럼 색을 바꾸는 사례가 줄어들 것이다.

정치는 봉사 정신과 희생정신이 필요하다. 많은 것을 포기하는 삶을 살아야 하기 때문이다. 젊은 층에는 기회비용이 크다. 그런 점을 참작해서 청년 정치인들에게 소년등과(少年登科)했다고 비난하지 말고, 국민이 좀 더 따뜻한 마음으로 격려해 주는 문화가 필요하다.

3. 국회의원의 부동산 투기 의혹

최근 부동산 가격 상승과 맞물려 국회의원 부동산 투기 의혹이 불거지고 있다. 현 청년 세대는 법과 질서에 기민하다. 관례로 치러온 사소한 위법 행위들에 엄격하다. 기성 정치인들을 부정적으로 바라보기도 한다. 경제 성장을 앞세우며 범법이 일어나던 과거와는 달리 성장이 침체된 요즘이다. 청년들이 기성세대와 특권계층의 투기행위에 대해 더 분노할 수밖에 없다.

김태년 더불어민주당 원내대표는 민주당 원내 대책 회의에서 "민주당은 국회의원 부동산 전수조사를 선제 시행한다고 밝혔다.[2]

(사진 출처: 한겨레)

2 2021년 6월 7일, 국민권익위원회에서는 민주당 국회의원 부동산 전수조사 결과를 발표했다. 부동산 거래 및 보유 과정에서 법령 위반 의혹 소지가 있는 사례가 16건(국회의원과 그 가족을 포함한 기준 총 12명) 확인되었다. 이에 민주당은 대상자에 대해 출당 권고 조치를 감행했다.

4. 청년 정치인은 경험이 부족하다는 인식

최근 청년 정치인에 대한 비판적인 인식이 확산되고 있다. 나이가 어리다거나 경험이 부족하다는 비판은 어느 정도 인정한다. 당연히 경험을 갖춘 사람이 상대적으로 정치를 더 잘할 수 있다. 하지만 젊다는 이유만으로 좀 더 엄격한 평가를 받기도 한다. 현재 국민의힘 당 대표 선거에서 이준석 후보를 '예의 없다'라고 보는 시선도 있다. 나이에 대한 편견 없이 정책을 중심으로 정치인을 평가했으면 한다.

청년 정치인들 역시 반성하고 노력해야 한다. '청년 정치인들은 역시 능력이 없다.'라는 평가가 국민 인식 저변에 깔려있음을 인지하고 겸손하게 더 배워야 한다. 젊은 정치인의 강점은 사회 문제에 대한 새로운 시각이다. '젊음' 자체만이 강점이라고 착각해서는 안 된다.

청년 정치인에게 관심이 쏠리는 이유는 기성 정치인에 대한 실망 때문에 새로운 세대를 기대하기 때문이다. 과거 박근혜 정부의 실망과 촛불혁명으로 문재인 정부가 탄생했지만 정책에 대해 실망한 국민은 지지를 철회하기도 했다. 마찬가지로 기성 정치인들에 대한 실망으로 인해 요즘 청년 정치인에 대한 기대가 높아지고 있다. 이럴 때일수록 청년 정치인들은 청렴하고 능력 있는 모습으로 국민의 기대에 부응해야 한다. 그래야 국민 사이에 '정치는 젊은 사람이 하는 게 낫다.'라는 인식이 확대된다. 만약 그렇지 못한 경우에는 '역시 젊은 사람들은 경험이 없어서 안 돼.'라는 인식으로 돌아갈 수도 있다.

5. 40세 미만 대통령 선거 출마 제한 규정

여야 청년 정치인들이 40세 미만은 대통령 선거 출마를 제한하는 현행 헌법을 개정하자고 한목소리를 내고 있다. 9개 정당(정의당·더불어민주당·국민의힘·국민의당·기본소득당·시대 전환·청년진보당·미래당·청년녹색당) 청년 정치인들은 지난 8일 국회 앞에서 기자회견을 열고 개헌을 통해 대통령 선거의 40세 미만 출마 제한을 폐지하자고 주장했다. 현행 헌법은 대통령 후보의 자격을 '국회의원의 피선거권이 있고 선거일 현재 40세에 달한 자'로 제한하고 있다. 청년들의 정치 참여가 확대되는 상황에서 이런 제한을 없애야 한다는 목소리가 나오고 있다.

출마에 나이 제한을 둔 이유는 무엇일까? 나라의 매우 중요한 역할을 하는 정무 공직 자리에 미성숙한 후보자가 출마했으나 이를 제대로 평가하지 못한 유권자들로 인해 선출되면 나라에 큰 손해가 될 수도 있다는 염려 때문이다. 하지만 젊다고 해서 무능하지 않고 무능한 후보가 출마했다고 해서 그를 선택할 만큼 국민이 어리석지 않다.

나이 제한 규정은 이제 시대착오적인 규정이 되었다. 대한민국 선거는 매우 투명하고 민주적인 절차를 밟기에 투표권 행사 나이와 출마를 할 수 있는 나이를 동일하게 맞출 필요가 있다.

6. 만 25세 박성민 청와대 청년 비서관 임명

청와대가 1996년생 만 25세인 박성민 전 더불어민주당 최고위원을 최연소 비서관으로 임명했다. 이철희 청와대 정무수석은 박 비서관 임명에 대해 '청년 문제는 청년 당사자의 고민이 반영되면 좋겠다는 취지에서 시작된 것이다. 여야 모두 정부도 청년 문제에 깊이 고민하고 있다는 신호로 읽어주면 좋겠다.'라는 의견을 밝혔다.

2018년 민주당 전국대학생위원회 운영위원에 임명돼 정계에 입문한 박 비서관은 2019년 민주당 공개 오디션을 통해 청년 인재로 선발돼 민주당 청년 대변인을 맡았다. 이어 2020년 이낙연 전 민주당 대표가 최고위원으로 파격 발탁해 화제를 모았었다. 박 비서관은 현 정부에서 민주당 청년 대변인, 청년 태스크포스(TF) 단장, 더혁신위원회 위원, 당 청년미래연석회의 공동의장을 지낸 바 있다.

이를 두고 회의적인 시선들도 존재한다. '청년엔 직장인도 포함되는데 박 비서관은 아직 대학 재학생이지 않은가. 입시나 교육 분야라면 모르겠지만 청년 정책을 아우르기엔 부족할 것 같다.'라는 의견도 있고 '최고위원을 지냈다는 기록 외에 객관적인 평가 요소가 없다. 청년 비서관이라고 해서 정체성이 '청년인 사람'이 아니라 현재 청년들이 겪는 구조적 문제들을 파악할 수 있는 사람을 뽑아야 했다.'라는 의견도 있다. 특히 고시 출신도 25년 정도 걸리는 1급 공무원 자리에 25세 청년을 발탁한 것은 불공정하다는 비판이 가장 컸다.

이번 청와대 인사에 화제가 모이는 이유는 '25세', '1급 공무원'이란 두 개의 키워드에 답이 있다. 이건 우리나라 특유의 수직적 조직문화에서 기인한 것이다. 미국 드라마 '시정생존자'를 보면 전임 대통령을 장관으로 임명하는 내용이 있고 영화 '인턴'에서는 은퇴한 출판사 부사장이 30대 CEO 인턴 비서로 일하기도 한다. 서구권에선 국회의원으로 중앙정치를 하다가 지방의회의원으로 등급 하향하기도 한다. 이런 해외사례가 우리나라에 적용되기는 쉽지 않다.

그러나 최근 고무적이게도 이러한 수직적인 문화가 조금씩 변화하고 있다. 장교로 근무하다 전역해서 부사관에 임관되거나 공무원 은퇴 후 아파트 경비로 일하시는 분들의 사례가 그러하다. 사회에서 받아들이는 직업 인식이 완만해졌다.

1급 공무원이라고 해서 고시 출신과 단순 비교하는 건 어려운 시험을 통과하신 분들에 대한 예의가 아니다. 또한 급수가 높다고 해서 '상급자다.', '성공한 사람이다.'라고 단순하게 인식하는 건 적절하지 못하다. 청와대 1급 비서관 자리는 그 자체로 상징적인 의미를 갖는 것이다. 2급부터 9급까지의 많은 부하직원을 거느리거나 많은 조직을 관리하는 기관장이나 관리자가 아니다. 청년이 1급 비서관이 되면 기성세대와 동등한 입장에서 청년의 문제점을 정책에 반영할 수 있다. 임기가 1년도 채 되지 않지만 단지 고위 공무원이라는 점에서 출세했다고 비아냥거리는 것은 아쉽다.

경험이 부족하다는 비판에 대해서 나이와 경험이 양적 상관관계임을 인정한다. 하지만 정치 영역은 좀 다르게 봐야 한다. 우리나라에서는 젊은 사람이 정당 활동을 하는 것을 매우 안 좋게 본다. 이러한 시선을 받으면서 정당 활동의 길을 선택할 수 있는 청년이 그리 많지 않다. 스펙을 쌓거나 학점을 관리할 시간을 포기하는 것은 공익적인 가치를 추구하는 소수의 청년만이 가능할 것이다. 우리나라 정당과 정치 발전을 위해 발 벗고 나서는 청년들이 많아졌으면 한다.

만 25세인 박성민 더불어민주당 최고위원이 1급 공무원인 청와대 청년 비서관으로 임명되자 '잘못된 인사'라는 응답이 20대의 52%에 달했다. 젊은 세대의 박탈감이 큰 것으로 보인다.

(사진 출처: 연합뉴스)

7. 청년들이 생각하는 시대적 과제 '공정'

요즘 자주 등장하는 단어는 '공정'이다. 그러나 공정한 사회에 살고 있다고 인식하는 사람은 드물 것이다. 그리하여 정치판은 공정한 사회를 만들기 위해 치열하게 투쟁한다.

집을 가진 미성년자 수가 2만 4천 명이라고 한다.[3] 이렇게 출발점이 제각기 다른 사람들이 사회가 공정하다고 인식하기 위해서는 누구나 노력하면 성공할 수 있다는 기대가 충족되어야 한다. 실력이 된다면 누구나 명문대 진학이 가능하거나 대학을 나오지 않아도 사회적으로 성공할 기회를 얻을 수 있어야 한다. 그러려면 다양한 방향으로 능력을 측정할 수 있어야 한다. 정치와 제도가 이런 기반을 만들어 낼 수 있다.

---

3 국회 기획재정위원회 소속 심기준 더불어민주당 의원이 통계청에서 받은 자료를 분석한 결과에 따르면 2016년 말 기준으로 주택을 소유한 미성년자는 총 2만 3,991명이었다.

8. 대선 주자들의 이미지 변신

대통령 선거를 앞두고 여야 대선 주자들이 앞다투어 이미지 변신을 시도하고 있다. 힙합 스타일로 연출하거나 프로게이머 체험을 하는 등 젊은 세대를 겨냥해 파격적인 모습을 보여주고 있다.

지난 17일 정세균 전 국무총리는 MZ 세대가 주로 이용하는 틱톡에 마술사 복장과 힙합 스타일로 변신하는 모습을 공개했다. 정 전 총리가 손뼉을 치자 마술사로 복장이 바뀌고 해리포터 옷을 뒤로 집어 던지자 금반지와 가죽 재킷, 선글라스를 착용한 힙합 패션으로 변한다. 영상은 '독도는 한국 땅'이라는 문구가 적힌 티셔츠를 입고 두 주먹을 불끈 쥔 정 총리가 등장하며 마무리된다. 더불어민주당 박용진 의원은 유튜브와 틱톡에 브레이브걸스의 인기곡 '롤린'에 맞춰 춤을 추는 영상을 올렸다. 이낙연 민주당 전 대표는 지난 14일 e스포츠 경기장인 '롤(LOL·리그오

브레전드) 파크'를 찾아 MZ 세대가 즐기는 게임에 도전했다.

하지만 MZ 세대 세대의 시선을 붙잡기 위한 대선 주자들의 행보에도 정작 당사자인 청년층의 반응은 시큰둥하다. 이런 행보가 단순히 보여주기식이 아니냐는 비판도 나오고 있다.

정치인들의 이러한 노력은 고무적인 현상이다. 하지만 국민은 선호하는 정치인이냐 아니냐에 따라 평가가 다르다. 정치인의 이미지 변신은 젊은 층을 생각한다는 메시지로 해석하면 어떨까? 정치인들 역시 청년들의 관심을 끄는 데에만 그치지 말고 청년들에게 실질적으로 도움이 되는 정책을 수립하길 바란다.

제2장.

2021년 7월

"각기 다른 노동, 여성, 역사관"

1. 선거 캐스팅 보트, 충청
2. 원전 수사하다가 검찰 총장 옷을 벗었다?
3. 충청권 후보들의 등장
4. 정치인들의 과격한 표현
5. 미군은 점령군인가?
6. 귀족 노조가 죽어야 청년이 산다?
7. 1주일 120시간 노동
8. 국회의원의 노란 체육복
9. 여성가족부와 통일부의 폐지
10. 청년이 바라보는 대선의 변수

1. 선거 캐스팅 보트, 충청

지난 6일, 여당 지도부와 야권 유력 대권 주자인 윤석열 후보가 나란히 대전을 찾았다. 송영길 대표를 비롯한 더불어민주당 지도부는 국립대전현충원을 참배하고 대전시와 예산정책협의회를 열었다. 오후에는 충청북도와 예산정책협의를 한 뒤 청주에 있는 방사광가속기 사업 부지를 방문했다.

윤 후보는 국립 대전현충원을 찾아 천안함 46용사 묘역과 한주호 준위 묘소, 연평해전 전사자 묘역 등을 차례로 참배했다. 윤 후보는 지난달 29일 대선 출마를 선언할 때도 천안함을 가장 먼저 언급했으며 방명록에 '목숨으로 지킨 대한민국, 공정과 상식으로 바로 세우겠습니다.'라고 썼다. 반문(반문재인) 세력을 아우르고 보수의 전통 가치인 안보를 선점하려는 전략이 아닌가 한다.

대선이 8개월 앞으로 다가온 만큼 윤 후보의 충청 방문은 역대 전국 단위 선거에서 '캐스팅 보트' 역할을 했던 충청의 민심을 얻기 위한 행보로 볼 수 있다. 정치권에서는 충청이 선택한 후보가 당선된다는 것이 공식화되어 있다. 충청인들이 어느 한쪽에 편향되지 않고 객관적이고 신중하게 정치인들을 판단하기 때문이다. 대선 후보들이 충청을 비중 있게 생각한다는 점은 충청의 정치인으로서 환영할 만하다.

2. 원전 수사하다가 검찰 총장 옷을 벗었다?

윤석열 전 총장은 카이스트에서 열린 원자력 전공 학생들과 간담회를 통해 탈(脫)원전 정책을 비판했다. '에너지 정책은 산업경쟁력과 국민의 삶에 깊은 영향을 주는 중대한 문제이므로 장기간에 걸친 전문적인 검토와 국민적 합의가 필요하다. 너무 갑작스러운 변화는 문제이다.'라며 정부의 탈원전 정책을 비판했다. 그리고 '원전 수사를 하다가 압박을 받아서 검찰 총장 옷을 벗었다.'라는 내용의 발언도 했다.

문재인 정부의 탈원전 정책이 무리하고 성급했다면 정부와 여당은 국민의 비판에 대해서 겸허히 수용할 필요가 있다. 원자력은 높은 수준의 과학기술이 필요한 분야이기 때문에 인재들을 타 산업에 응용하는 것도 필요하다.

하지만 정부의 탈원전 정책은 원자력 발전을 하루아침에 폐쇄하겠다는 것이 아니라 에너지원을 다각화하려는 노력의 일환이다. 오해가 있는 것이다. 그렇기에 '원전 수사를 하다가 압박을 받아서 검찰 총장 옷을 벗었다.'라는 발언은 상당히 부적절하다.

수사기관인 검찰이 산자부, 한국수력원자력, 한국가스공사 등 정부 기관들을 전방위 압수수색을 했는데, 이것 자체가 공무원 신분으로서 정치활동을 한 것으로 간주할 수 있다. 이미 결정된 정책이며 감사원에서 문제 삼지 않은 부분인데도 압수수색을 펼치는 것이 검찰의 역할인지 고민해볼 필요가 있다. 검찰의 과잉 수사에 대해 국회뿐 아니라 정부 차원에서 조언하는 것조차 압박이라고 표현한다면 검찰의 잘못된 행위를 견제할 수단은 없다. 정치검찰 문제는 반드시 해결해야 할 시대적 과제다.

2021년 7월 5일, 윤석열 후보는 5일 오후 서울 관악구 서울대학교에서 주한규 원자핵공학과 교수를 면담한 후 기자들과 만난 자리서 '월성 원전 사건이 고발돼서 저희가 대전지검을 통해 전면 압수수색을 진행하자마자 감찰과 징계 청구가 들어왔고, 어떤 사건 처리에 대해서 음으로 양으로 굉장한 압력이 들어왔다.'라고 주장했다.

(사진 출처: 뉴스1)

3. 충청권 후보들의 등장

요즘 충청 대망론이 거론되고 있다. 여권에선 지역의 유일한 대선 후보로 나온 양승조 충남 지사가, 야권에서는 윤석열 후보가 충청 대망론에 불을 지피고 있다.

윤 후보는 '충청 대망론이 언급되는 것에 대해 굳이 옳다 그르다 비판할 문제는 아니고, 지역 정서로 생각한다. 충청 대망론은 충청 출신으로 대통령이 되신 분이 없어서 나오는 말이다. 논산에서 태어난 부친은 연기에서 살다가 교육 때문에 공주로 이전했고, 저는 서울에서 교육받았지만, 500년 전부터 부친이나 사촌들의 뿌리는 충남에 있었기에 많은 충청인이 그렇게 생각해 주시는 것 같다.'라고 설명했다.

일각에서는 윤 후보에 대해 단지 부친이 공주 출신이라는 이유로 충청 대망론에 올리는 건 말이 안 된다는 의견도 있다. 개인적으로도 서울에서 태어나고 자란 사람이 충청 대망론에 편승하는 건 적절하지 않다고 본다. 지역에 대한 비전을 제시하지 않고 지역을 선거전략으로만 사용하는 것은 구태 정치의 모습으로서 다소 실망스럽다. 지역구가 있는 국회의원 선거나 지방의 행정을 책임지는 지방의원 선거가 아닌 대통령 선거에서 지역을 운운하는 전략은 지역주의 갈등을 해소해야 하는 정치의 역할에 전면으로 배치되는 행위이다.

4. 정치인들의 과격한 표현

대선을 얼마 남겨두지 않은 시점에서 후보 간 경쟁이 과열되고 있는 가운데 여야 중진들 사이에서 잇따라 폭탄 발언이 나오면서 국민의 눈살을 찌푸리게 한다.

지난 5일 송영길 더불어민주당 대표는 서울의 한 초청토론회에서 '문재인 대통령을 지키겠다고 '대깨문'이라고 떠드는 사람이 '누구는 되고 누구는 안 된다.', '누군가 되면 차라리 야당을 찍겠다.'라는 안일한 생각을 하는 순간 문 대통령을 지킬 수 없고, 성공시킬 수 없다는 사실을 분명히 깨달아야 한다.'라고 말했다. 일부 강성 지지층을 향해 당 화합에 도움이 되지 않는다는 취지로 말한 것으로 보인다. 하지만 이런 표현이 적절한지 아닌지와 해당 발언이 특정 후보에게 유리한 방향이 될 수 있다는 점이 문제가 되고 있다. 이로 인해 각 당이 리스크 관리에 나서야 한다는 목소리가 높다.

대선은 모두를 아우르는 후보가 필요하다. 그리고 너무 강한 표현은 선거를 앞두고 자제하는 것이 좋다. 자칫 특정 후보를 지지하는 듯한 내용의 발언은 경계해야 한다. 중립을 유지해야 하는 당 대표의 역할을 상기하며 앞으로는 더 언행에 조심해야 할 필요가 있다.

지난달 24일에는 홍준표 후보는 국민의힘 의원들이 모여 있는 단체 채팅방에서 윤희숙 의원이 대선 출마에 나설 거란 기사가 올라오자 '숭어가 뛰니 망둑어도 뛴다.'라는 메시지를 적어서 논란을 일으켰다. 이에 이준석 국민의힘 대표는 이번 발언은 적절하지 않다며 지적했다. 누가 숭어인지 망둑어인지는 잘 모르겠지만, 대통령을 벼슬처럼 여기는 의식을 그대로 드러낸 표현이 아닐까? 숭어는 귀하니까 중요하고 망둥이는 흔하니까 안 중요하다는 전제가 깔린 발언이다. 기득권층이 아니라 일상 속에 함께 생활하던 한 국민이 대통령이 되는, 이른바 숭어가 아닌 망둑어가 성장해 대통령이 되는 나라가 바람직하지 않을까?

더불어민주당 대선 주자인 이재명 후보는 여배우와의 스캔들을 해명하면서 '바지 발언'을 하여 후폭풍을 낳았다. 과거 나훈아 씨가 악성루머에 대해 기자회견에서 바지를 내리려는 행동을 취했고 그 행동으로 이제는 악성 기사들이 나오지 않았다. 이런 사실을 기반으로 한 일종의 유머였지만 가볍게 넘기기에는 우리나라 정서가 유연하지 못하다. 따라서 후보들은 표현에 좀 더 신중히 처리할 필요가 있다.

5. 미군은 점령군인가?

이재명 후보가 미군을 '점령군'이라고 표현한 데 대한 정치권의 후폭풍이 거세다. 이 후보는 지난 1일 비내면으로 대선 출마를 선언한 후 고향인 경북 안동 이육사 문화관을 찾아 '대한민국 정부 수립이 다른 나라와는 좀 달라 친일 청산을 못 했다. 친일 세력들이 미(美) 점령군과 합작해 지배체제를 그대로 유지하지 않았느냐? 깨끗하게 나라가 출발하지 못했다.'라고 발언했다.

이에 대해 야권은 '국민 분열로 이득을 보려는 얄팍한 술수'라고 비판했다. 윤석열 후보는 '셀프 역사 왜곡을 절대 용납할 수 없다. 이념에 취해 국민 의식을 갈라치고 고통을 주는 것에 반대한다. 이 후보의 언행은 우리 스스로 미래를 갉아먹는 일이다.'라고 날을 세웠다. 황교안 전 국무총리는 '이 후보의 '근본 없음'은 가족뿐 아니라 조국을 폄훼하는 지경에 이르렀다.'라고 비난했고, 유승민 전 의원 역시 '대한민국의 출발을 부정하는 역사 인식'이라고 비판했다.

여권에서는 정세균 전 국무총리가 '민주당 대통령들은 단 한 번도 이런 식의 불안한 발언은 하지 않았다.'라며 이 후보를 겨냥했다. 이 후보 측은 '한국을 점령한 미국이라는 뜻이 아니라 당시 일제를 점령한 미국이라는 의미에서 미군 스스로도 '점령군'이라고 표현했다. 친일 잔재가 제대로 청산되지 못한 현실을 지적하고 이육사 시인에 대한 경의를 표한 것이다.'라고 해명했다.

우리 세대는 대부분 '점령군' 발언에 대한 문제가 크다고 인지하지 못한다. 2차 세계대전이 끝나고 한반도에 미군과 소련군이 들어와 3.8선 이남과 이북을 나눠 통치했다. 무정부상태인 남한은 통치의 기반을 마련하기 위해 일본 정부에서 일한 사람들을 배척하지 못하고 일부 기용했다. 기사에서는 미군을 '점령군'으로 표현한 것에 대해 문제 삼고 있다.

과거 미국을 우상화한 교육을 받아오신 어르신들께는 '점령'이란 단어가 매우 불편하셨던 것 같다. 맥아더 장군이 1945년 9월 7일 포고령에 쓴 정확한 표현은 'occupy[어큐파이]', 해석하면 '점령'이다. 그런데 이 표현은 당시에 우리나라가 무정부상태였기에 조선총독부가 있는 지역의 일본을 점령했다는 말이 아닐까? 이 후보가 말한 취지는 일제 잔재를 청산하지 못했다는 것이므로 이 발언을 논쟁의 대상이라고 보기는 어렵다.

김원웅 광복회장도 '미국은 점령군, 소련군은 해방군'이란 발언을 했다. 광복회는 보도자료에서 '친일 세력이 '미 점령군과 합작해서 지배체제를 유지했다. 이 후보 말은 토씨 하나 틀리지 않는 역사적 진실이다. 친일 청산과 분단 극복에 대한 고뇌가 없는 정치인은 이 땅에서 사라져야 한다. 해방 이후 친일 세력이 다시 미국에 빌붙어 77년간 엄청난 부와 권력을 축적했다. 친일 세력에게는 (더글러스) 맥아더가 은인이다.' 라고 했다.

미군이 우리나라 역사에서 고마운 역할을 해준 것은 사실이다. 하지만 당시 해외에 있던 임시정부와 광복군에 힘을 실어 친일 세력 청산을 하지 못한 것은 아쉽다. 정부는 민족을 위해 일본에 저항했던 애국자와 그 후손들에게 대한민국이 존속하는 한 영원히 부채 의식을 가져야 한다.

역사학자들도 이 후보의 발언이 역사석 사실로서는 크게 문제 삼을 만한 점이 없다는 견해다. 김태웅 서울대 역사교육과 교수는 '미군과 소련군 모두 38선을 분기점으로 일본군 무장해제로 들어온 점령군'이라고 말했다. 안병욱 가톨릭대 국사학과 교수도 '미국과 일본이 전쟁하고 있는 상황에서 미군이 일본을 굴복시키기 위해 일본의 통치 아래에 있는 한반도로 진격한 것이므로 점령이 맞다. '점령군'이라는 표현은 본래 가치중립적이었으나 독재와 군사정권을 반성하며 돌아보는 과정에서 친일파와 협력한 미군에 대해 부정적인 이미지가 생긴 것이다.'라고 논란의 배경을 설명했다. 하지만 학자들은 논쟁이 벌어지는 것 자체에 대해서는 부정적인 견해를 나타냈다.

2021년 7월 2일, 이재명 후보가 고향인 경북 안동시의 이육사 기념관에서 '친일 세력들이 미 점령군과 합작해서 지배체제를 그대로 유지하지 않았느냐? 나라를 다시 세운다는 생각으로 새로 출발했으면 좋겠다.'라고 말하자 '미 점령군' 발언에 대한 논란이 촉발됐다.

(사진 출처: 연합뉴스)

6. 귀족 노조가 죽어야 청년이 산다?

국민의힘 윤희숙 의원이 대선 공약으로 '귀족 노조가 죽어야 청년이 산다.'라며 노동 관례 개혁을 내걸었나. 귀족 노조에 대한 비판에는 공감하지만, 귀족 노조가 죽어야 청년이 산다는 일반화는 유감스럽다. 언론에서는 집단이기주의를 내세우고 있는 일부 대기업의 노조를 귀족 노조라고 표현한다. 임금 인상은 물론이고 자녀의 채용보장까지 요구하는 점이 과하기 때문이다.

하지만 윤 의원 발언에는 두 가지 문제점이 있다. 첫 번째, 노동조합의 사회적 순기능을 왜곡할 소지가 있다. 발언 배경에 노조에 대한 불신이 깔려있다. 정치인들은 언론에서 문제 제기하는 일부 강성 노조보다 건전한 노조의 사례를 더 많이 경험해야 한다. '귀족 노조가 죽어야'와 같은 과격한 표현은 피하는 것이 좋다. 두 번째, 노조가 청년의 이익을 침

해한다는 식의 표현은 또 다른 사회적 갈등을 만들 수 있다. 노조는 회사에 갓 취업한 청년 노동자의 가장 든든한 울타리 역할을 하는 순기능도 있다. 강성 노조가 청년들의 이익을 침해하는 것에는 대응하되 노조 전체를 헐뜯는 발언은 조심할 필요가 있다.

윤 의원 공약에는 '최저 임금은 일자리와 경제 상황을 반영해야 한다. 대체 근로를 허용해 귀족 노조의 장기간 파업을 견제하겠다. 52시간제는 탄력적이고 개별적인 형태로 재편해야 한다.'라는 내용이 담겨있다.

이와 관련한 해외사례는 다음과 같다. 일본은 노사 합의에 따라 업종별 최저 임금을 상향할 수 있다. 호주는 122개 직업에 대해 최저 임금과 최소 근로환경에 관한 사항을 규정했다. 캐나다는 1차 생산과 직접 관련이 있는 자와 특정 분야 전문가에 대해서 최저 임금을 배제한다. 남아프리카공화국은 취약 분야 근로자에만 최저 임금을 적용한다.

하지만 한국에서는 윤 의원의 공약이 시행되기 어렵다. 첫 번째, 시기적으로 맞지 않는다. 최저 임금을 업종별로 결정하자는 주장은 2018년~2019년 최저 임금이 10% 이상 올랐을 때는 가능했다. 노동력 수요가 공급보다 높은 업종(예: 공사 현장이나 택배 물류센터 인력 등)의 시장 형성가가 최저 임금보다 높았기 때문이다. 하지만 최저 임금이 많이 오르면서 임금이 교란되었기에 업종별로 차등 적용할 필요성이 대두되었다. 하지만 2020년~2021년 최저 임금 인상률은 2.9%~1.5%이므로 업종별로 달리 적용하기 어렵다. 두 번째, 최저 임금을 지역별, 회사 규모별,

업종별로 나누기가 매우 어렵다. 최저 임금을 업종별 100개, 회사의 규모별 3그룹, 지역은 광역별 16개로 나눴다고 가정해 보자. 최저 임금 분류는 총 4,800개에 달한다. 이 기준도 매년 바뀔 수 있기에 구분의 수준을 어디까지 정하느냐가 중요하다.

윤 의원의 발언 이후, 이재명 후보는 '청년은 결국 노동자가 된다. 전국적으로 노동자들이 조직돼 있다면 집단 협상이 가능하고, 거대한 회사와 힘의 균형을 이뤄 협상해 근무시간과 업무 조건을 많이 개선할 수 있다. 노조 중에서도 지나치게 이기적이거나 조직주의, 집단이기주의에 빠진 것은 시정해야 할 것이다. 전체 노조에 가입하면 안 된다는 것은 정말 위험한 생각이다.'라고 말했다.

강민진 청년정의당 대표는 "'노동 탄압과 기득권 수호'가 국민의힘의 정체성이라면 최소한 청년은 팔지 말라. 사람이 양심이 있어야 할 것 아닌가. 파업 시 대체 근로를 허용하면 누구에게 좋은가. 기존 노동자들은 최후의 저항 수단을 빼앗기고, 파업 대체 근로자들은 언제 파업이 끝나 잘릴지 모르는 불안정한 상황이 된다. 결국 웃는 사람은 노동자를 상대로 마음껏 권력을 휘두를 수 있게 되는 사측뿐이다. 기득권을 웃게 만드는 정책을 내세우면서 어디다 청년을 팔고 있단 말인가.'라고 날을 세웠다.

윤 의원은 즉시 '귀족 노조 해체'가 '노조를 없애자.'로 왜곡됐다고 해명했다. 이러한 해명에도 불구하고 '귀족 노조 해체'라는 표현 때문에 국민은 노조 자체에 대해 부정적으로 인식할 여지가 있다. 귀족 노조에 대한 정의 또한 모호하다. 임금이 적지만 무리한 요구를 하는 노조도 있고, 임금이 많지만 합리적인 요구를 하는 노조가 있다. 어떤 노조를 귀족 노조로 정의하고 해체한다는 것인가? 차라리 '청년의 앞길을 방해하는 불공정하고 무리한 노조의 요구를 개선하겠다.' 정도의 표현이 적절하다.

끝으로 청년 취업시장 붕괴와 노동조건 악화가 '강성 노조' 때문이라고 단정하기 어렵다. 상관관계에서 영향력을 측정하는 것은 연구 분야에서 다룰 문제이다. 그러므로 노조 자체에 대한 부정은 매우 위험하다. 노조의 요구 수준을 합리적인 수준으로 결정하고 합의된 범위 내에서 협상할 수 있는 토대를 만드는 것이 정치권의 중대한 과제이다.

7. 1주일 120시간 노동

윤석열 후보가 '1주일 120시간 노동'이라는 발언을 해 논란이 일고 있다. 윤 후보는 문재인 정부의 주 52시간제가 실패한 정책이라고 선제하면서 '스타트업 청년들이 주 52시간제 시행에 예외 조항을 두자고 토로했다. 일주일에 120시간이라도 바짝 일하고 이후에 마음껏 쉴 수 있어야 한다.'라고 말했다. 이에 민주당에서는 비판이 쏟아져 나왔다. '주 52시간제는 노동자의 희생으로 경제를 지탱하는 방식에 종지부를 찍겠다는 다짐(이낙연 전 대표)', '나치 아우슈비츠 수용소가 주 98시간 노동(김영배 최고위원)', '국민 삶을 쥐어짜려는 윤석열의 현실 왜곡 악담이 개탄스럽다.(박용진 의원)' 등등 일제히 비판이 쏟아졌다.

심상정 정의당 의원은 '이분이 칼잡이 솜씨로 부패 잡는 게 아니라 이제는 사람 잡는 대통령이 되시려는 것 같다. 하루 16시간씩 미싱을 돌려야 했던 전태일 열사의 시대에도, 120시간 노동을 정치인이 입 밖으로 꺼내는 것은 어불성설이었다.'라고 꼬집었다.

물론 주 52시간제를 탄력적으로 운용할 필요가 있는 영역도 있을 것이다. 하지만 정치인이, 그것도 대선 후보가 1주일 120시간 노동이란 표현을 한 것은 매우 유감스럽다. 스타트업 청년 기업가의 말을 너무 가볍게 옮기다가 실언을 한게 아닌가 싶다. 모든 정책에는 음양이 있을 수 있다. 윤 후보의 발언은 주 52시간을 찬성하는 근로자들을 전부 부정할 수 있는 발언이다. 정치인은 문제를 바라보는 시각을 다양하게 살피는 태도가 꼭 필요하다.

8. 국회의원의 노란 체육복

류호정 정의당 의원이 노란색 체육복을 입고 나와 눈길을 끌었다. 정의당 청년조직인 청년정의당 채용 비리신고센터 '킬(Kill) 비리' 설립 기자회견에 영화배우 우마 서먼이 연기한 영화 '킬 빌'의 주인공과 같이 노란 체육복을 입은 채 검을 들고 '채용 비리 척결'을 다짐하는 모습을 취했다. 하지만 일각에서 '정치쇼'라는 비판이 일자 류호정 의원은 '채용 비리를 척결하겠다는 마음가짐을 표현한 것이다. 채용 비리는 모두가 죄라고 생각하지만 관련 법규가 없어 실제로는 업무방해죄로 처벌하고 있다.'라고 했다. 자신의 상징이 된 '패션 정치'에 대해 소수정당의 한계를 언급하며 '존재가 지워진 사람들의 절박함을 알릴 수 있다면 얼마든지 이렇게 하겠다.'라고 말했다.

정책을 홍보하거나 문제점을 개선하기 위해 국민 관심을 끌어야 한다면 어느 정도의 '쇼'가 필요할 것이다. 하지만 류호정 의원의 쇼는 공익적 목적보다 개인 홍보 목적으로 보인다. 류 의원은 국회 본회의장에서도 여러 차례 독특한 패션으로 쟁점이 됐었다. 본회의장은 생명보다 중요한 사안을 다루는 엄숙한 공간이다. 법률과 예산은 상임위, 법사위 또는 예결위를 거쳐 본회의로 상정되는 치열한 과정을 거친다. 그런 본회의장에 멜빵바지나 원피스를 입고 등원하는 것이 공익의 목적에 부합한다고 보는 사람은 많지 않은 듯하다. 국회의원은 현실정치를 하는 사람이지 이상을 꿈꾸는 정치지망생이 아니다.

2021년 7월 21일, 류호정 정의당 의원은 채용 비리 척결을 위해 국회 본관에서 채용비리신고센터 '킬 비리' 설립 기자회견을 열었다. 류 의원은 이날 영화 '킬빌'의 여배우 우마 서먼으로 변신했다.

(사진 출처: 연합뉴스)

9. 여성가족부와 통일부의 폐지

국민의힘 일부 대선 주자가 '여가부와 통일부 폐지론'을 공약으로 앞세우며 논란이 되고 있다. 이준석 국민의힘 대표는 '여성가족부가 지금까지 꾸준히 예산을 받아서 활동하지만 지난 10년간 젠더 갈등이 비약적으로 상승했기에 그 존속에 대해 의문을 제기할 필요가 있다. 통일부 역시 북한의 소행에 아무 말도 못 한다. 북한이 연락사무소를 폭파하고 우리 국민을 살해하고 시신을 소각하는데도 대응하지 못하는 조직은 수명이 다했거나 애초에 아무 역할이 없는 부처이다.'라고 비판했다.

이 대표의 '작은 정부론'은 이명박 정부가 집권 초기 추진한 정부 조직 개편과 유사하다. 이명박 정부 인수위원회는 2008년 부처 간 중복되는 기능을 합쳐 효율성을 높이겠다며 여가부와 통일부, 과학기술부, 정보통신부, 해양수산부를 다른 부처와 통폐합했다. 통일부는 유지됐으나 여가부는 여성부로 축소됐고 과학기술부는 교육과학기술부, 정보통신부는 지식경제부, 해양수산부는 국토해양부와 농림수산식품부에 흡수됐다.

같은 보수 정권이었던 박근혜 정부는 옛 과학기술부와 정보통신부의 기능을 통합해 미래창조과학부를 신설하고 해양수산부를 부활시킴으로써 이명박 정부의 '작은 정부'를 5년 만에 되돌렸다. 과학기술·해양 정책이 뒷순위로 밀린다는 비판과 더불어 경남·부산 등 해안 지역의 해수부 부활 요구도 고려한 것이었다. 이에 국민의힘 내부에서도 이명박 정부 때 한 번 실패한 정부 조직 축소를 다시 공약으로 내건 것에 대한 비판의 목소리가 나오고 있다.

여가부 폐지를 주장해야 할 사람은 대선 후보가 아닌 정책의 공급과 혜택을 받는 당사자들이다. 가족이나 청소년 문제가 다른 부처에서 해결될 수 있다면 부처 통합에 찬성할 것이다. 다만 현재는 오히려 폐지 주장이 성별 갈등을 초래할 수 있음을 잊어서는 안 된다.

여성가족부는 양성평등 정책뿐 아니라 가족 정책, 청소년 정책 등 꼭 필요한 정책을 시행하고 있다. 여성 관련 정책은 여가부 주요 사업비의 10~20%에 불과하다. 그런데도 '여성'이란 단어를 부처의 앞에 놓은 이유는 가부장적인 역사를 극복하겠다는 의지로 해석할 수 있다. 전체 정부예산 중 0.2%에 불과한 작은 부서지만 의미와 상징성을 존중하여야 한다.

통일부 폐지도 반대한다. 헌법 제3조에 '대한민국의 영토는 한반도와 그 부속 도서로 한다.'라고 명기되어 있다. 통일부 기능을 외교부로 이관하면 북한을 국가로 인정하는 것이기에 헌법을 부정하는 것과 같다. 통일을 앞둔 시점도 아니기에 청와대 위원회 형태로 두는 것도 적절치 않다. 대한민국은 세계에서 유일한 분단국가라는 특수한 상황인 만큼 통일부를 따로 두는 것이 상식적이다.

2021년 7월 12일, 이준석 국민의힘 대표가 여성가족부·통일부 폐지에 대한 더불어민주당과 여성단체 등의 비판 속에서도 '작은 정부론'을 재차 강조했다.

(사진 출처: 국민일보)

10. 청년이 바라보는 대선의 변수

이번 대선이 치열한 양상인 만큼 청년들의 표심이 중요하다. 20·30 세대는 대한민국 역사상 가장 똑똑한 세대라고 불린다. 요즘은 유튜브 등을 통해 후보들의 토론회 발언들을 반복해서 시청할 수 있기에 TV 토론회가 중요하다. 토론회를 통해 후보자의 공직관, 윤리관, 가치관들을 냉철하게 분석하고 비판하고 지지할 수 있다.

제3장.

2021년 8월

"강해지는 후보들의 발언"

1. 과열되는 대권 경선 레이스
2. 붉어진 후보들의 논란
3. 민주당의 후보 검증단
4. 양궁 금메달리스트 숏컷 논란
5. 후보들의 청년 정책 공약
6. 황교익 경기관광공사 사장 내정 논란
7. 이낙연, 이재명 후보의 갈등
8. 국민의힘 대선 예비후보 토론회 취소
9. 국민의힘과 국민의당 합당 결렬
10. 심상정 정의당 의원의 대선 출마 선언
11. 한미 연합지휘소 훈련
12. 윤희숙 후보 부동산 문제

1. 과열되는 대권 경선 레이스

여야 대권 경선 레이스가 과열 양상을 보이면서 각 후보 간 신경전도 최고조에 이르렀다. 더불어민주당에서는 이재명 후보와 이낙연 전 대표가 연일 신경전을 벌이는가 하면 국민의힘에서도 범야권 선두주자인 윤석열 후보와 최재형 전 감사원장 간의 미묘한 신경전이 펼쳐지고 있다.

여당에서는 이재명, 이낙연 후보가 지지율 1, 2위를 다툰다. 각 후보는 마음을 정하지 않은 유권자들의 마음을 얻기 위해서 상대방을 공격할 수밖에 없을 것이다. 언론에서 후보 간 공방을 많이 다루기에 피로감이 있을 것이다. 그만큼 대통령이 중요한 자리임을 고려해서 후보 검증의 기회로 삼기를 바란다.

경선은 어디까지나 경선일 뿐이다. 경선이 끝나면 상대 지지자도 안고 가야 한다. 신경전이 너무 과열되면 지지자들이 다른 진영으로 빠질 수도 있다. 도의에 맞는 수준에서 경쟁했으면 하는 바람이다.

2. 붉어진 후보들의 논란

후보들 사이에서 연일 새로운 논란이 붉어지고 있다. 민주당 대선 경선에서 이재명 후보의 과거 음주운전 전력이 논란되자 캠프 대변인의 글이 문제가 됐다. 이 후보의 대선 캠프 박진영 대변인은 지난달 15일 자신의 페이스북에 '음주운전은 분명 잘못된 행동이지만 대리비를 아끼려는 마음에서 음주운전을 했을 수 있다. 가난이 죄다.'라고 밝혔다. 과거 음주운전 전력이 있는 이 후보를 옹호하려는 의도로 해석되자 여야를 가리지 않고 비판의 목소리가 나왔다. 결국 박 대변인은 사임했다.

대변인의 발언은 매우 부적절하다. 음주운전은 절대 해명할 수 있는 것이 아니다. 이에 대변인의 빠른 사임은 옳다. 기성 정치인의 범죄 경력이나 병역 회피가 용인되기도 했으나 앞으로는 결격 사유가 될 것이다. 시대가 거듭될수록 국민은 공인의 도덕성에 매우 높은 가치를 부여하기 때문이다.

윤석열 후보는 '쩍벌 자세'로 논란이 있었다. 많은 사람 앞에 있으면 자연스럽게 다리가 모인다. 그러나 윤 후보가 남에게 아쉬운 소리 들으며 산 경험이 없다 보니 그 경험들이 자세로 나오는 듯하다. 검사 시절 권위적인 자세가 몸에 밴 것인지도 모르겠다.

그리고 최근 언론 인터뷰에서 불량식품에 대해 경제학자 밀턴 프리드먼의 저서 '선택할 자유'를 빌려 '먹으면 병 걸리고 죽어도 (돈이) 없는 사람은 그 아래도 선택할 수 있게, 더 싸게 먹을 수 있게 해줘야 한다.'라고 말한 것도 논란이 됐다. 한 강연에서는 저출산 원인을 짚으면서 '페미니즘이 너무 정치적으로 악용돼 남녀 간의 건전한 교제도 정서적으로 막는 역할을 많이 한다. 페미니즘도 '건강한 페미니즘'이어야지, 선거를 유리하게 하거나 집권을 연장하는 데 악용돼선 안 된다.'라는 말도 했다.

윤 후보 발언에 대해 민주당 전용기 의원은 '저출산 문제의 본질은 '미래에 대한 불안'인데 대통령 후보가 오히려 패악질을 일삼는다.'라고 말했고, 강민진 청년정의당 대표도 '우리는 '윤석열이 허락한 페미니즘'을 원치 않는다. 남녀 간 교제에 성평등이 없다면 건전한 교제이기는커녕 폭력과 차별로 얼룩진 관계일 것이다. 국민의 절반인 여성이 동등한 권리를 누릴 수 있도록 하는 정책은 그 자체로 국가를 위한 정책이다.'라고 했다.

윤 후보의 발언마다 논란이 되는 이유는 보수주의 저명인사의 글과

말을 그대로 인용하기 때문으로 보인다. 한 가지 사안에 대해서 다양한 분야의 발언을 듣고 생각을 정리해야 정제된 발언이 나온다. 윤 후보는 한쪽의 시각만 급하게 공부했다는 생각이 든다. 그렇기에 앞으로도 발언에 대한 논란은 지속될 것이다.

2021년 8월 1일, 국민의힘 대권 주자인 윤석열 후보가 서울 여의도 북카페 하우스에서 열린 청년 정책 토론회 '상상 23 오픈 세미나'에 참석했는데 여전히 '쩍벌' 자세이다.

(사진 출처: 뉴스1)

3. 민주당의 후보 검증단

민주당 대선 경선에서 당 차원의 후보 검증단을 설치하는 것이 새로운 쟁점으로 떠오르고 있다. 야당 안에서 '대선 후보 검증단'을 설치하는 문제를 놓고 신경전이 벌어지고 있다. 정세균 후보는 '이명박·박근혜 대통령의 경우 경선 과정에서 불거진 문제가 제대로 검증되지 않아 나중에 국민이 피해를 봤다.'라며 본인이 제안한 클린 검증단을 설치할 것을 재차 요구했다. 이낙연 후보도 당내 검증단 출범에 찬성 견해를 밝혔고, 박용진 후보도 '필요하면 누구나 검증에 응해야 한다.'라며 긍정적인 반응을 보였다.

국민의힘의 경우 검증단장에 김진태 전 의원이 내정된 것으로 알려지면서 '중립성'이 도마 위에 올랐다. 이준석 대표는 검증단이 윤석열 후보를 견제하기 위한 수단이라는 시각을 일축했다. 윤 후보는 김 전 의원에 대해 '중립적으로 검증을 잘하실 것 같다.'라고 말했다.

당내 검증단이 의혹을 해소하기보다 되레 네거티브를 과열시킨 전례가 있다. 2007년 17대 대선 당시 한나라당은 이명박·박근혜 후보 간 검증 공방이 격렬하여지자 당내 검증위원회를 꾸려 자체 청문회를 열었다. 이 과정에서 이명박 후보와 관련한 BBK 주가 조작, 도곡동 땅 투기 의혹, 박근혜 후보와 관련된 최태민 목사와의 관계, 영남대 비리 의혹이 제기됐다. 이는 두 사람이 대통령이 된 이후에도 발목을 잡았다.

검증단은 꼭 설치해야 한다. 당리당략을 떠나 정당의 역할은 국민에게 검증된 후보를 내는 것이다. 국민은 당에서 선별한 후보의 능력과 청렴도를 믿고 투표권을 행사한다. 유력한 대선 후보자에 대해 제대로 된 검증을 못 한다면 정당의 의무를 저버리는 것이다. 검증 과정에서 네거티브가 과열될 것을 염려하기보다 당선되고 나서 더 큰 일이 생길 것을 예방해야 한다.

4. 양궁 금메달리스트 숏컷 논란

양궁 금메달리스트 안산 선수에 대한 쟁점이 있다. 안산 선수가 여대에 진학하였고 숏컷을 하며 남성 혐오 단어를 사용했다는 것이 문제가 됐다. 과거에 쓴 '오조오억년', '웅앵웅'이란 단어가 남성 혐오 표현이란다. 이것이 왜 논란인지 이해하기 어렵다. 선수 본인이 페미니스트라고 말한 것도 아니고 극단적으로 여성우월주의 발언을 한 적도 없다. 이번 이슈를 통해 젊은 남성들의 페미니스트에 대한 거부감이 상당하다는 사실을 체감하였다.

도쿄올림픽 양궁 3관왕 안산 선수. 숏컷, 전라도 출신, 여대 재학 중 사진, 세월호 배지 등의 이유로 페미니스트 논란에 휩싸였다.

(사진 출처: 연합뉴스)

5. 후보들의 청년 정책 공약

여야 대권 주자들이 MZ 세대(20·30 세대)의 마음을 사로잡고자 나섰다. 더불어민주당 대권 주자인 박용진 의원은 '비정규직 청년 노동자들에 대해 7년을 일하면 자발적으로 퇴직하더라도 1년 정도 통상임금을 받으며 재충전할 수 있도록 '청년 안식년제'를 제도화하겠다. 기업이 고용을 확대할 때 지금보다 부담을 덜 가질 수 있도록 시간제·기간제·파견제 등을 폭넓게 인정하겠다. 대신, 퇴직금을 주지 않으려고 7개월, 9개월, 11개월 만에 계약을 해지하는 기업에는 청년 안식년제 이행 부담금 적립을 의무화하겠다.'라고 밝혔다. 또한 박 후보는 자발적 실업자에 대한 실업급여 수급권 강화도 내세웠다. '자발적 실업자도 고용보험을 부담했던 납부자이다. 자발이니 비자발이니 구분하여 실업급여를 인정하는 건 낡은 인식이다.'라고 강조했다.

박 후보는 젊은 후보답게 청년들의 고충을 가장 잘 이해하는 후보이다. 오늘날 대한민국은 직업 계급화가 존재한다. 정년을 보장받는 정규직에 비해 비정규직은 미래에 대해 불확실하다. 박 후보는 공약으로 내건 '안식년제도'와 '실업급여 보장제도'는 청년을 위한 구체적인 정책이라는 점에 의의가 있다.

이재명 후보는 '대통령에 당선되면 임기 내 전 국민에게 연 100만 원의 기본소득을 지급하겠다. 만 19~29세의 청년들에게 연 100만 원의 청년 기본소득도 추가로 지급하겠다.'라고 공약했다. 이 후보가 청년들만 추가 지급 대상으로 삼은 이유는 청년층이 가장 취약한 계층이라고 보았기 때문이다. 이 후보는 아울러 '경기 도정을 해 보니 노인이나 아동·장애인 등 특정 취약계층보다 청년 정책은 예산 규모가 2%에 불과하다.'라고 언급했다.

국민 모두의 최소한의 생계를 국가가 책임지는 것은 중요하다. 하지만 기본소득을 지급해도 되는지에 대한 우려도 있다. 경제 전문가들은 우리나라 경제의 상당 부분이 반도체 산업 수출에 의지한다고 주장한다. 그러나 중국의 반도체 산업 성장 속도가 무섭기에 우리나라의 현 재정 상태가 지속될 것이라고 과신하는 것은 금물이다. 새로운 성장 동력을 찾는 것에 집중하는 것이 다음 대통령의 과제이다.

국민의힘 하태경 의원은 남녀 공동 복무제를 도입하고 군 복무자에게는 공직과 공공 부문 취업 가산점, 주택청약 가점 등을 주겠다고 공약했다. 과거 군 복무 공무원 가산점제가 위헌 결정으로 폐기되었다. 비슷한 정책을 다시 내놓는 것이 현실성 있는가에 대해 우려스럽다. 지자체 공무원 시험에서 군 가산점이 없이는 100점 만점을 받아도 채용이 안 되거나 가산점을 포함하니 합격점이 100점이 넘어가 버려서 미필 여성의 임용 기회가 박탈된 사례가 있다. 이로 인해 가산점제가 위헌 결정을 받았다. 비슷한 맥락에서 하태경 후보가 제시한 취업 가산점, 주택청약 가점도 위헌 소지가 있다. 물론 복무자에게 그에 맞는 국가의 대우를 해줘야 한다는 점에서는 고무적인 측면도 있다. 그러므로 복무 혜택을 어떻게 주어야 할지를 더 공론화해야 한다.

각 후보의 추가 공약은 다음과 같다. 이재명 후보는 비정규직을 포함한 모든 근로자에게 육아휴직을 의무화하고 모든 여성 청소년의 생리대 구매 비용을 지원할 것을 약속했다. 이낙연 후보는 '청년 주거권 확대', '지방 교육 불평등 해소 방안' 등을 발표했다. 이처럼 청년을 위한 다양한 정책이 나온다는 것은 청년으로서 반갑다. 하지만 청년이 사회적 약자로 인식된다는 의미가 내포되어 있어 비감에 찬다.

6. 황교익 경기관광공사 사장 내정 논란

더불어민주당에서 보은 인사 논란이 제기된 황교익 경기관광공사 사장 내정을 두고 공방이 격화되고 있다. 이재명 후보의 중앙대 동문인 황교익 씨가 과거에 이 후보의 '형수 욕설' 논란을 옹호한 이력이 있기 때문이다. 경기관광공사 사장 자격 요건이 완화되면서 특혜 의혹이 제기된 상황이다.

황교익 경기관광공사 사장 내정을 비판하는 이유는 크게 두 가지이다. 첫 번째, 전문성이 없다. 그러나 명문대를 나온 관료나 교수 출신들만이 지역 관광 발전 전문가의 적임자라고 생각지 않는다. 대한민국은 앞으로 다양한 방면에서 전문가를 포용할 수 있어야 한다. 두 번째, 보은 인사이다. 대선을 앞둔 중요한 시점에 오해의 소지가 있는 인사권 행사는 다소 아쉽다. 황 내정자는 논란이 일자 바로 자진해서 사퇴했다. 빠른 수습은 긍정적으로 평가한다.

7. 이낙연, 이재명 후보의 갈등

황교익 내정자 논란이 때아닌 '친일 프레임'으로 번지며 이번에도 이재명 후보와 이낙연 전 대표외의 갈등이 격화되고 있다. 이 진 대표 대선 캠프 상임 부위원장인 신경민 전 의원은 라디오 인터뷰에서 황 내정자에 대해 '이분은 그동안 우리 음식을 비하하였다. 일본 도쿄나 오사카 관광공사에 맞을 분이다. 이런 관점을 갖고 무슨 관광공사를 할 수 있을까? 맛집도 제대로 운영할지 매우 의심이 든다.'라고 말했다. 그러자 황 내정자는 자신의 페이스북을 통해 '이낙연은 일본 총리를 하라. 정치권의 더러운 프레임 씌우기가, 그것도 민주당 유력 대권 후보인 이낙연 캠프에서 일어나고 있다. 이낙연이 일본통이다. 일본 정치인과의 회합에서 일본 정치인의 '제복'인 연미복을 입고 있더라. 이낙연은 일본 총리에 어울린다.'라고 주장했다.

같은 진영에서의 갈등 양상이 깊어지는 것이 우려스럽다. 신경민 대변인과 황교익 내정자 모두 문제가 있다. 우선 신 대변인의 친일 발언은 부적절하다. 음식 문화에 대한 전문가의 자유로운 의견을 친일이라 비유하는 것은 과한 정치적 공세이다. 이재명 후보와 지지율 격차를 좁히지 못하기에 이런 공격적인 발언을 한 것으로 해석된다. 황 내정자가 정치인에 대한 혐오를 드러내고 반격한 것도 적절치 못하다. 특히 '이낙연 후보의 정치적 생명을 끊겠다.'라는 발언은 기관장 내정자가 갖춰야 할 인격이 부재하였음을 스스로 드러낸 것이다. 정치적 공격을 의연하고 담담하게 받아들이는 것도 국민이 원하는 공인의 자세다.

8. 국민의힘 대선 예비후보 토론회 취소

국민의힘 대선 예비후보 토론회가 취소됐다. 대선 경선을 앞두고 '경선 준비위원회 월권', '당 대표 공정성 문제', '당 대표 탄핵' 등 불협화음을 빚어오던 국민의힘이 이번에는 대선 예비후보와 당 대표 간 '녹취록' 공방과 대선 주자 간 '후보 사퇴 촉구 기자회견' 등 연일 악화일로를 걷고 있다.

원희룡 후보는 18일 긴급 기자회견을 열고 '이준석 대표가 '윤석열 후보는 곧 정리된다.'라고 말했다. 이 대표는 녹음 파일 전체를 공개하라.' 라고 말했다. 또한 이 대표가 자신과의 통화 녹취록을 교묘하게 풀고 뉘앙스를 왜곡하고 있다고 비판했다.

이 대표는 원 후보의 주장에 대해 별다른 반응 없이 자신의 페이스북에 '그냥 딱합니다.'라는 글을 올렸다. 국민의힘 대권 주자인 하태경 의원은 원 전 지사의 기자회견 직후 원 전 지사가 이 대표의 '뒤통수'를 치고 '분탕질'을 친다며 예비후보직에서 당장 사퇴해야 한다고 주장했다.

이준석 대표와 원희룡 후보 간의 녹취록 공방에 대해서 이 대표는 중대한 비난을 피해갈 수 없다. 대선을 준비하는 당 대표는 경선이라는 민감한 무대 뒤에서 조용히 심판 역할을 해야 한다. 민주당 지도부를 참고해 당 지도부가 대선에서 어떤 역할을 해야 하는지 고민해 볼 필요가 있다.

물론 이 대표는 취임 이후 국민의힘 지지율 상승에 매우 큰 역할을 하고 있다. 국민의힘은 국민 대변인을 공개 선발함으로써 지지율 상승을 경험했다. 이에 예비토론회로 다시 한번 흥행을 준비했었으나 일부 캠프에서 저항이 만만치 않았다. 심지어 탄핵 이야기도 나올 정도이다. 이 대표가 취임하고 나서 당 운영방침을 비빔밥에 비유했으나 섞여서 시너지를 내야 할 재료들이 각자 메인메뉴가 되고 싶어하는거 같다.

9. 국민의힘과 국민의당 합당 결렬

국민의힘과 국민의당의 합당이 결렬됐다. 안철수 대표가 독자 세력화, 제3지대화를 모색하는 것이 아니냐는 분석도 나오고 있다. 안철수 국민의당 대표가 거쳐 간 정당을 나열하면 새정치연합, 새정치민주연합, 국민의당, 바른미래당, 국민의당 등 창당 3회, 합당 1회, 탈당 2회에 달한다. 안철수 대표의 인간적 가치는 매우 뛰어날지 모르나 정치인으로서 그는 뚜렷한 정책이나 신념을 가지고 있는 것으로 보이지 않는다. 중도 이미지라는 정치적 자산마저도 고갈되었다. 과거처럼 독자 세력화가 가능할지 의문이다.[4]

4 안철수 대표는 사전투표일을 불과 하루 앞둔 2022년 3월 3일, 윤석열 후보와의 단일화 발표 후 후보직을 전격 사퇴했다.

국민의힘과 국민의당이 한 달여간 진행한 합당 협상이 결렬되자 이에 대한 책임 공방을 이어갔다. 당시 야권에선 '합당은 사실상 물 건너갔다.'라는 얘기도 나왔다.
(사진 출처: 뉴시스)

10. 심상정 정의당 의원의 대선 출마 선언

심상정 정의당 의원이 대선 출마를 선언했다. 그러자 여야는 예상치 못한 변수로 작용할 가능성을 예의주시하고 있다. 막판까지 승부를 예측하기 어려운 여야 초접전이 이어질 경우, 정의당의 '정치적 선택'이 승패를 가르는 결정적 요인이 될 수 있기 때문이다.

지난 대선에선 민주당 문재인 후보의 독주 체제가 선거 막판까지 이어졌기에 정의당은 판을 흔들 변수가 되지 못했지만, 2012년 대선에선 달랐다. 당시 이정희 정의당 후보는 특유의 공격적인 언변으로 박근혜 새누리당 후보를 몰아세우며 이슈몰이에 성공했다. 현재 각종 대선 주자 선호도 여론 조사에서 유의미한 지지율을 기록한 정의당 후보는 없다. 경선을 거쳐 본격적인 세몰이를 시작하면 노동계와 여성단체·청년 등의 표심을 흔들 것이란 전망이 나오고 있다.

정의당은 환경, 약자, 노동 등 대중적이지 못한 의제에 대해서 윤리적이고 철학적인 대안을 제시하는 정당이라는 평가를 받고 있다. 특히 심상정 의원은 노회찬 정신을 잇는 유일한 정치인이라는 긍정적인 평가가 있다. 하지만 이번 대선에서는 그 효과가 과거보다 현저히 작을 것이다. 민감한 사안에 대해 정의당이 지나치게 경도된 태도를 보여서 대중적 지지도가 많이 떨어졌다. 지난 대선처럼 높은 득표를 받기는 어려울 것으로 보인다.

11. 한미 연합지휘소 훈련

하반기 한미연합지휘소훈련이 우여곡절 끝에 지난 16일 시작됐다. 여당 일각에서 남북관계의 국면 전환을 위해 한미연합훈련 연기를 고려해야 한다는 주장이 나오고 있다. 그러나 여당 지도부는 '한미연합훈련은 한미 간의 결정 사항'이라며 선을 그었다. 야당에서는 연기론이 나오자 '김여정이 상왕이냐?'라고 반발하고 있다. 국방위 소속 국민의힘 의원들은 이날 공동성명을 내고 '정부는 김여정의 협박에 굴하지 말고 한미연합훈련 예정대로 시행해야 한다.'라고 요구했다.

요즘 청년 중 '남북이 꼭 통일해야 한다.'라고 생각하는 사람은 많지 않다. 대부분 남한과 북한이 상대 정부를 인정하고 국민이 자유롭게 교류하는 관계로의 개선을 지지한다. 이러한 남북관계는 튼튼한 안보위에서 성립될 수 있다. 그 튼튼한 안보를 위해서 대부분의 군사 전문가들은 미군과의 연합이 필수라고 조언한다. 따라서 한미연합훈련을 연기하거나 취소하는 것을 지양해야 한다. 올해 한미연합훈련은 코로나의 영향으로 시뮬레이션 위주로 진행되고 있다. 북한에서는 미사일을 발사하는 등 강경한 대응은 하지 않는 것으로 보아 미국과 북한의 관계에 적절한 수준으로 보인다.

12. 윤희숙 후보 부동산 문제

국민권익위의 국회의원 부동산 조사 결과 윤희숙 국민의힘 의원의 부친이 농지법 위반 혐의를 받았나. 윤 의원은 8월 23일 기자회견을 열어 국회의원직을 사퇴하겠다고 발표했다.[5] 개발 예상 지역에 전입 신고를 하고 농지를 사들이어 임대를 맡기는 행위는 전형적인 투기행위라는 지적이다.

윤 의원은 세종시에 소재한 KDI에 근무하며 세종시 토지를 매입했다. 여든 넘은 노인이 상속할 목적이 없는데도 토지를 매입하는 경우는 거의 없다. 그러므로 윤 의원이 해당 매입에 관여했다는 의혹은 당연하다.

---

5 2021년 12월 10일, 윤희숙 전 의원은 윤석열 후보 선대위에 참가하여 후보 직속 기구인 '내일이 기대되는 대한민국 위원회' 위원장직을 수락한다고 밝혔다. 국회의원 사퇴 발표 후 4개월도 채 안 된 시점이었다.

하지만 국회의원직을 돌연 사퇴한 점은 비판받아야 한다. 선출직 공무원 자리는 본인이 마음대로 거취를 선택하는 자리가 아니다. 국회의원 자리는 자신을 뽑아준 국민에게 봉사하는 자리이다. 그렇기에 국민의 양해를 충분히 구했어야 했다.

2021년 8월 27일, 자신의 투기 연루 의혹을 제기한 여당 의원들을 향해 '조사에서 어떤 혐의도 없다고 밝혀지면 의원직을 사퇴하라.'라고 맞불을 놓았다. 이 과정에서 여당 정치인 10여 명의 실명을 거론하며 '평생 공작 정치나 일삼으며 입으로만 개혁을 부르짖는 모리배들'이란 원색적 비난을 쏟아냈다.

(사진 출처: 한겨레)

제4장.

2021년 9월

"치열해지는 당내경선"

1. 윤석열 후보의 고발 사주 의혹
2. 이재명 후보, 경선 우세
3. 국민의힘 제1차 경선
4. 정의당 후보자 경선 시작
5. 재난지원금 논란
6. 윤석열 후보, 비정규직 발언

1. 윤석열 후보의 고발 사주 의혹

윤석열 후보의 '고발 사주' 의혹과 관련해 민주당은 국기 문란 공작이라며 공세를 이어가고 있다. 이에 대해 국민의힘은 의혹 제보 뒤에 박지원 국정원장이 있다며 역공을 펴고 있다. 고발 사주 의혹을 두고 여야는 연일 강경한 대립이다.

국민의힘은 이번 의혹의 제보자 조성은 씨가 언론 보도 전 박지원 국정원장과 식사한 사실을 밝혀지자 '박지원 배후설'을 제기했다. 이준석 대표는 아침 회의에서 '박지원 국정원장이 조성은 씨와 공모했다는 의혹에 대한 해명이 불충분하면 국정원장 사퇴나 경질을 요구하겠다.'라며 공세를 강화했다. 이에 대해 민주당 송영길 대표는 국민의힘이 식사 자리를 꼬투리로 잡아 국정원 개입을 운운하고 엉터리 삼류 정치 소설을 쓰고 있다고 강하게 비판했다.

다시 한번 이 사건을 요약해 보겠다. 2020년 2월, 대검찰청 손준성 검사가 여권과 언론 인사들을 고발하는 고발장을 작성하여 국민의힘 김웅 의원에게 전달했다. 해당 고발장에는 피해자로 윤석열, 김건희, 한동훈 검사가 명시되어 있었다. 이는 정치적 중립의무(검찰청법 제4조 2항)를 위반한 중대 행위이다. 현재까지 밝혀진 사실로 보면 손 검사가 김 의원에게 고발장을 전달한 것은 사실인 것으로 보인다. 다만 윤 후보가 사주한 것인지는 밝혀지지 않았다. 반대로 이 사실을 제보한 조성은 씨가 전날 박지원 국정원장을 만났으나 제보를 종용받았는지 알 수 없다. 고발장을 전달하라고 윤 후보가 사주한 것인지 해당 사건을 제보하라고 사주받은 것인지 정황만으로는 이야기하기 어렵다.

둘 다 아니라고 가정해도 검찰의 정치 개입이 있었던 것은 사실인 것으로 보인다. 그렇다면 윤 후보에게도 적지 않은 영향을 줄 수 있다. 윤 후보 측은 공수처에 박지원 국정원장을 국정원법과 공직선거법 위반 혐의로 고발했다. 하지만 이번 고발은 증거가 전혀 없으므로 정치적인 행위로 해석된다.

2021년 10월 5일, '고발 사주' 의혹과 관련해 이 사건 최초 제보자인 조성은 씨가 윤석열 국민의힘 대선 경선 후보와 김웅, 권성동, 장제원 국민의힘 의원 등을 공직선거법 위반, 특정범죄가중법 위반, 명예훼손, 모욕, 허위사실 유포, 공익신고자보호법 위반 등의 혐의로 고소하기 위해 서울 서초구 서초동 서울중앙지방검찰청사로 이동하고 있다.

(사진 출처: 뉴스1)

2. 이재명 후보, 경선 우세

이재명 후보가 대전·충남, 세종·충북, 대구·경북 세 곳에서 치른 지역 순회 경선에서 모두 50%를 넘는 득표율을 기록했다. 전국난위 선거는 대전, 충청권 민심이 정하는 대로 후보가 선출되기 때문에 충청권 민심이 중요하다고 앞에서 밝힌 적이 있다. 따라서 이 후보가 충청권에서 과반수 득표했다는 것은 큰 의미가 있다. 변수가 없다면 이대로 이 후보가 선출될 가능성이 매우 큰 상황이다.

이 가운데 정세균 전 국무총리는 경선 후보를 사퇴했다. 후보직 사퇴는 혼자서 쉽게 결정할 수 있는 것이 아니다. 그간 선거 운동 기간 많은 인적·물적 지원을 받았기 때문이다. 그리고 중간 성적 3~4위면 해 볼 만하다. 그런데도 정 후보가 과감하게 사퇴한 것은 합리적이다. 앞으로 남은 경선에 정 후보의 지지자들이 어떤 후보로 옮겨갈지가 변수이다.

이낙연 전 대표는 의원직 사퇴 카드를 꺼냈고, 민주당은 이 전 대표의 사직안을 처리했다. 국회의원직 사퇴는 이 후보 측에서 선택할 수 있는 가장 큰 카드이다. 국회의원직을 내려놓는 것은 지지자들을 결집하는 요인이 된다.

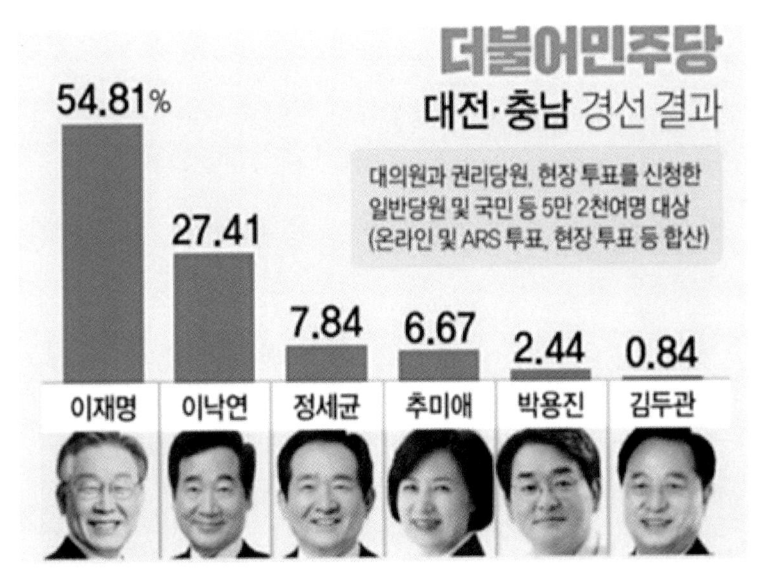

2021년 9월 5일, 세종·충북에서 이재명 후보는 54.72%(2만 1,047표)의 득표율로 1위를 기록했다. 2위인 이낙연 후보는 28.19%(1만 841표)를 얻는 데 그쳤다.

(사진 출처: 천안아산신문)

3. 국민의힘 제1차 경선

국민의힘은 지난 15일에 대통령 후보자 선거 제1차 컷오프경선 결과를 발표했다. 11명에서 8명의 후보로 압축했다. 경선 후보 지지율은 공직선거법에 따라 알려지지는 않았지만 언론에서 다루는 비중을 통해 짐작할 수 있다. 현재 국민의힘 대선 후보는 2강 2중의 양상이다. 윤석열, 홍준표 후보가 2강이고 유승민, 최재형 후보가 2중이다.

얼마 전까지만 해도 윤 후보가 유일할 만큼 유력했지만 홍 후보가 대등해졌다는 사실이 흥미롭다. 많은 평론가는 토론회 등으로 윤 후보에서 홍 후보로 지지 의사 변경이 있었다고 분석한다.

홍 후보에게 고무적인 면은 20·30 세대의 젊은 지지층이 많다는 점이다. 젊은 층은 지지 관련 의사를 온라인에서 확산시키는 효과를 주기 때문이다. 그런데도 현재로선 윤석열 후보를 이기기는 어려워 보인다. 국회의원을 비롯한 대부분 조직이 윤석열 캠프에 합류했다. 이준석 당 대표가 조직 하나 없이 대표가 되었으니 아직은 최종 국민의힘 후보가 누가 될지는 좀 더 지켜봐야 한다.

2021년 9월 15일, 국민의힘은 대통령 후보자 선거 제1차 컷오프경선 결과를 발표했다. 11명에서 8명의 후보로 압축했다.

(사진 출처: 연합뉴스)

4. 정의당 후보자 경선 시작

정의당도 대선 후보 선출을 위한 본격적인 경선 레이스를 시작했다. 지난 12일 심상정 의원과 이정미 전 대표, 황순식 경기도당 위원장, 김윤기 전 부대표가 경선 후보로 등록했고 오는 30일부터 경선을 치른다.

아무리 정당 생활을 오래 하더라도 언론이 아니면 해당 정치인의 메시지를 확인하기 어렵다. 국회의원의 메시지가 전달력이 월등히 높다. 그런데 후보 중 현직 국회의원은 심상정 전 대표가 유일하다. 따라서 정의당 경선이 흥행하기는 쉽지 않다. 국민의힘 윤희숙 전 의원처럼 강력한 메시지를 전달하는 의원이 있어야 하는데 정의당에는 아직 그런 인물이 보이지 않아 안타깝다.

2021년 9월 13일, 정의당의 대통령 후보자 4인은 30일까지 공식 선거 운동을 진행 예정이다. 왼쪽부터 김윤기, 심상정, 이정미, 황순식 후보

(사진 출처: 정의당 홈페이지)

5. 재난지원금 논란

지난 6일부터 재난지원금 신청 및 지급이 시작되었다. 재난지원금의 지급 범위를 두고 형평성 논란이 있다. 여당은 지급 대상을 전 국민으로 주장하고 기재부는 재정 상황을 이유로 상위 그룹은 제외했다.

재난에 따른 지원금은 크게 두 가지 성격으로 분류할 수 있다. 첫째, 사회적 약자나 코로나로 직접적인 피해 받은 이들을 강력하게 지원해야 한다. 둘째, 모두가 동등하게 지원받는다. 이번 재난지원금은 두 번째 성격에 가깝다. 하지만 대상자를 걸러내는 작업이 쉽지 않다. 대상자를 선별할 때 건보료와 종부세를 기준으로 삼는다고 한다. 세무 관련 일을 하는 입장에서 보험료 산정 기준은 모호하다고 생각한다. 재난지원금의 형평성 문제는 불가피하다.

6. 윤석열 후보, 비정규직 발언

국민의힘 윤석열 후보가 지난 13일 경북 안동의 SK바이오사이언스 공장을 방문한 뒤 안동대학교에서 학생들과 간담회를 했다.

청년 일자리 문제 등에 대한 질의응답 과정에서 한 학생은 윤 후보에게 '(이전에) 청년 일자리 구축이 국가 최우선이라고 말씀하셨던 게 기억난다. 대학생으로서는 청년 일자리가 굉장히 중요한 문제지만 자영업자로서는 최저 임금이 올라가면 매우 큰 부담일 것이다. 두 가지를 동시에 잡을 방법이 무엇이냐?'라고 물었다. 이에 윤 후보는 '경제를 성장시키든지 아니면 일자리를 기성세대와 나눠 가져야 한다. 경제를 성장시켜 기업의 일자리를 만들기에는 시간이 오래 걸린다. 제도적으로 빨리 대응하는 것이 기존의 노동 시장을 물렁물렁하게 할 수 있다. 요새 젊은 사람들은 어느 한 직장에 평생 근무하고 싶은 생각이 없다. 일자리라는 게 임금 차이가 없으면 비정규직이나 정규직이나 대기업이나 중소기업이나 의미가 없다.'라고 발언했다.

이 발언을 세 가지로 정리할 수 있다. 우선 '임금의 차이가 없으면 비정규직이나 정규직이나 큰 의미가 없다.'라는 발언은 임금의 액수보다 안정성 때문에 정규직을 원하는 비정규직의 심리를 이해하지 못한 것이다. '손발로 노동하는 것은 인도도 요즘 하지 않는다. 아프리카나 하는 것이다.'라는 발언도 문제가 있다. 아무리 기술이 발달해도 기계가 대체할 수 없는 단순 노동은 존재한다. 그런 일을 하는 분들의 처우를 개선하는 것이 정치인의 바람직한 자세이다. 오히려 해당 종사자들을 모욕했고 인도와 아프리카 대륙에 대한 차별적인 발언을 했다. 대통령 후보로서 매우 부적절한 말이다.

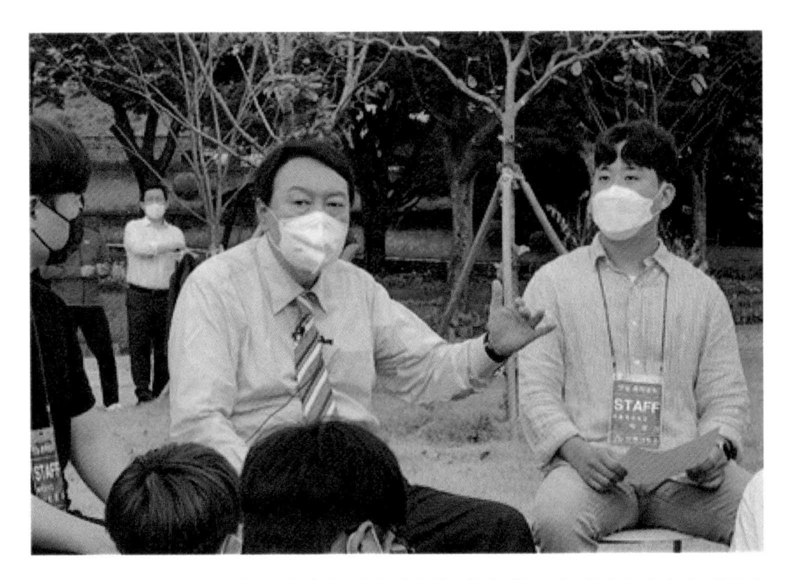

2021년 9월 13일, 청년과의 간담회 자리에서 '일자리라는 게 비정규직이나 정규직이나, 대기업이나 중소기업이나 임금의 큰 차이가 없으면 비정규직이나 정규직이 의미가 없다.'라고 발언해 논란에 휩싸였다.

(사진 출처: 세계일보)

제5장.

2021년 10월

“전국을 흔드는 대장동 개발 이슈”

1. 화천대유 50억 원 퇴직금 논란
2. 대장동 개발 이재명 후보 비판
3. 윤석열 후보 부친의 자택 매입
4. 천화동인과 박영수 딸
5. 대장동 개발 수사 움직임
6. 장제원 의원 아들의 음주운전
7. 이재명 후보의 경선 승리
8. 경기도 국정 감사
9. 국민의힘 후보 간 연합전선
10. 심상정 정의당 대선 후보 선출
11. 대전시 지방의회의원 정수 갈등
12. 후보들의 청년 정책 공약 두 번째
13. 민주당 대전시당, 선출직 공직자 평가 윤리 항목 신설
14. 국민의힘, 정당 사상 최초 자격시험 추진
15. 대전시 유성 복합여객터미널 사업방식 변경
16. 대전시 지방의원 농지법 위반 혐의

1. 화천대유 50억 원 퇴직금 논란

지금 정치권에서는 '대장동 의혹'을 둘러싼 여야 공방이 이어지고 있다. 곽상도 의원의 아들이 '화천대유'라는 회사로부터 퇴직금 및 산업재해 위로금 명목으로 50억 원을 받았다. 이와 관련해 화천대유 대주주인 김만배 씨가 '중재해' 때문이라고 주장했지만 담당 부서에 산재 신고도 하지 않은 것으로 나타났다. 또한 곽 씨는 2020년까지 부친이 거주하는 서울 송파 지역 한 아파트의 조기축구회에서 활동한 것으로 파악됐다. 곽 씨가 받은 퇴직금 및 위로금이 뇌물이 아니냐는 의혹이 일고 있는 만큼 이를 판별할 곽 씨의 건강 정도가 중요하다.

곽 의원은 뇌물죄 수사를 신속히 요청하면서 자신은 대장동 사업에 영향력을 행사한 바가 없다고 주장했다. 하지만 의혹이 일자 탈당으로 충분하지 않으니 의원직을 사퇴하라는 목소리가 커지고 있다. 국민의힘 이준석 대표는 의원직 제명까지 언급하면서 압박했다.

업계 관계자들은 '대장동 의혹'을 로비라고 본다. 곽 의원은 아들이 50억 원 받은 것에 대해 본인의 역할이 없다고 답변했다. 민간개발에 본인의 기여도가 어떠한지 객관적으로 밝히기 쉽지는 않다. 하지만 아들을 통해 뇌물을 받은 점을 부인하기는 더 어려울 것이다.

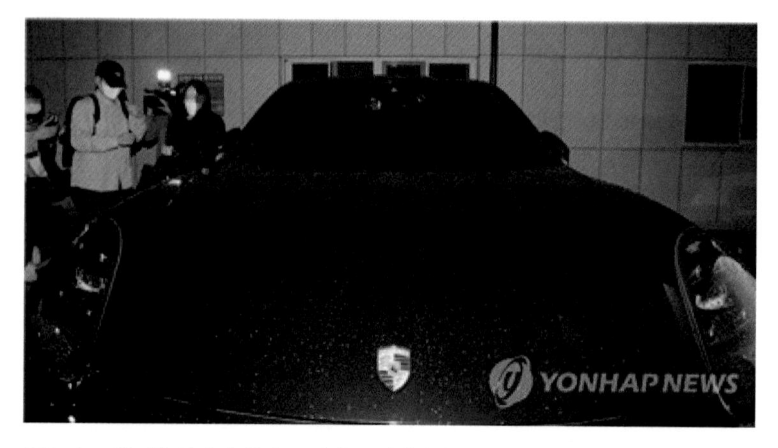

2021년 10월 8일, 성남시 분당구 대장동 개발사업 특혜 의혹을 받는 화천대유자산관리에서 퇴직금 50억 원을 받은 곽상도 의원 아들이 경기도 수원시 경기남부경찰청에서 조사를 마친 뒤 청사를 떠나고 있다. 사진은 곽 씨 일행이 타고 온 포르쉐 차량.

(사진 출처: 연합뉴스)

2. 대장동 개발 이재명 후보 비판

이재명 당시 성남시장이 대장동 개발로 인해 민간 개발회사에서 막대한 이익을 준 것에 대한 비판이 있다. 대장동 의혹을 제대로 판단하려면 그 배경을 알아야 한다.

대장동 개발 당시 시행사로 설립된 성남의뜰(주)의 주식 현황을 보자. 성남도시개발공사가 우선주 53.76%, 3개 은행이 우선주 32.26%를 차지한다. 의사결정을 위한 주식인 보통 주식은 약 7% 정도 되는데 SK증권이 6%, 화천대유자산관리가 1%로 구성되어 있었다. 화천대유 김만배 대표가 모집한 SK증권과 본인이 대표로 있는 화천대유가 대장동 개발을 주도했다고 보인다.

시행사들은 대규모 개발 시 리스크를 떠안고 진행한다. 각종 인허가와 행정 절차, 투자자와 채권자 모집, 토지주와의 갈등 해결 등에 대한 비용이 크다. 그래서 성공하기 위해 불법 로비활동이 관행처럼 여겨진다.

사업이 시행되던 2010년대 중반은 전국적으로 공급물량이 쏟아져 미분양이 속출했다. 제1금융권에서 집값의 70%씩 대출해 주거나 주택 매입 시 감면 혜택을 주었다. 이런 상황에서 대장동 개발사업 이익의 반 이상을 지방정부에 환수한 노력이 비판받을 만한가? 민간개발로만 이뤄졌다면 민간의 이익으로 들어갔을 500억 원을 공영으로 환원했다. 민간에게 돌아간 이익이 크다며 이재명 후보를 비판하는 건 어불성설이다.

끝까지 민간개발로 하려는 압력 중 이연택 전 체육회장, 신영수 전 국회의원 동생은 구속됐다. 이들은 모두 국민의힘 전신인 한나라당 인사들로 밝혀졌다. 개발을 위해 로비를 받은 인사에 대해 수사력을 집중하는 것이 중요하다.

3. 윤석열 후보 부친의 자택 매입

화천대유 최대 주주로 대장동 개발사업 의혹 중심에 있는 김만배 씨의 친누나가 지난 2019년 윤석열 국민의힘 대선 예비후보 부친의 자택을 매입했다는 의혹이 있다. 김만배 씨 누나는 화천대유 자회사인 '천화동인 3호'의 사내이사이다. 윤 후보 캠프는 관련 내용에 대해 부인하고 있다.

한 기사에 따르면 윤 후보 아버지가 시세 30억 원 넘는 집을 19억 원에 매도했다고 한다. 이게 사실이라면 우회적인 증여나 불투명한 돈거래 등을 의심할 수 있다. 하지만 아파트와 달리 단독주택은 물량이 적을 뿐더러 위치와 면적 등에 따라 시세를 객관화하기 매우 어렵다. 사실관계가 좀 더 명확해질 때까지는 추이를 지켜봐야 한다.

4. 천화동인과 박영수의 딸

화천대유 사내이사가 이재명 후보 최측근의 보좌관 출신이라는 사실이 밝혀졌다. 이화영 전 의원은 2018년부터 지난해까지 경기도 부시장을 지냈다. 현재는 경기도 출자기관인 킨텍스 대표이사를 맡고 있다. 이 후보 최측근인 이화영 전 의원은 화천대유 사내이사인 이 씨가 15년 전 일했을 뿐, 3~4년 전부터는 연락조차 하지 않았다며 선을 그었다.

이재명 후보 캠프도 이 사건이 자신들과 무관하다고 반박한다. '천화동인'이란 회사가 대장동 개발에 어떻게 연루되어 있는지 아직 제대로 밝혀진 사실이 없다. 이 후보의 측근인 이화영 대표, 이 대표의 보좌관을 통해 대장동 개발 이익 중 일부를 이재명 후보가 속여 빼었을 것이라는 추론은 무리가 있다.

화천대유 고문이던 박영수 전 특별검사의 딸이 대장동 아파트를 분양

받은 데 대해서도 '특혜 의혹'이 확산됐다. 화천대유 직원이기도 한 박 전 특검의 딸은 지난 6월, 계약 취소된 대장동 아파트를 7억 원에 분양받았다. 박 전 특검 측과 화천대유는 정상적인 분양이라고 견해를 밝혔다. 그러나 고위 공직자의 자식을 통한 우회적인 로비로 보인다. 수사나 법원의 판결은 피해갈 수 있어도 우리나라 국민은 이런 뒷거래를 다 알고 있다. 나쁜 관습을 도려내야 대한민국의 장래가 밝다.

2021년 10월 21일, 국회 국토교통위원회의 국정 감사에서 노형욱 국토교통부 장관이 견해를 밝히고 있다. 김상훈 국민의힘 의원이 화천대유 개발 산업에 특혜가 없었는지 조사가 필요하다고 지적하자 '성남시에 자료 제출을 요청해 기다리고 있는 상황'이라고 답변했다.

(사진 출처: 뉴스1)

5. 대장동 개발 수사 움직임

대장동 의혹 논란에 대해 야당이나 일부 보수단체에서 국정조사를 요구하고 나섰다. 정의당도 특별수사본부 및 검경과 공수처의 신속한 수사를 당론으로 정할 움직임을 보인다.

법조계에 따르면 서울중앙지검은 경제범죄형사부를 중심으로 특별수사팀을 구성할 것으로 알려졌다. 하지만 일각에서는 검경이 수사를 미적거리는 사이 핵심 세력들이 도피할 개연성이 농후하다고 지적한다. '지난해 옵티머스 수사처럼 용두사미 격으로 수사가 끝나지 않겠느냐?'라는 우려마저 나오고 있다.

이낙연 전 민주당 대표가 일부 언론과의 인터뷰에서 '검경의 대장동 수사는 훗날 검증대상이 될 것'이라고 날을 세운 것도 그동안 부실한 수사가 이뤄졌다는 의미이다. 진실을 밝히려면 이제라도 특별검사제를 도입해야 한다. 대한민국 미래를 위한 수사인 만큼 강하고 신속하게 위법 행위가 있는 인사를 정리해야 한다.

6. 장제원 의원 아들의 음주운전

요즘 정치인 자녀들 논란으로 시끄럽다. 퇴직금 50억 원을 받은 곽상도 의원의 아들, 집행유예 기간 중 무면허 음주운전 사고를 낸 장제원 의원의 아들 등의 소식이 전해지면서 청년층의 분노가 극에 달했다. '조국 사태' 이후 정치권의 최대 화두로 떠오른 '공정'의 가치를 건드리는 게 아니냐는 비판이 나오고 있다.

장제원 의원 아들 노엘 씨는 미성년자일 때 담배, 성매매, 음주운전 및 운전자 바꿔치기 등의 논란이 있었다. 장 의원은 '자식에게 문제 있는 공직자는 공직자의 자격이 없다.'라고 발언한 적이 있다. 공개적으로 사과할 필요가 있다.

2021년 10월 19일, 무면허 운전과 음주 측정 거부·경찰관 폭행 등 혐의로 구속된 장제원 국민의힘 의원 아들인 래퍼 노엘(본명 장용준)이 서울 서초구 서초경찰서에서 나와 검찰로 송치되고 있다.

(사진 출처: 뉴스1)

7. 이재명 후보의 경선 승리

지난 10일 더불어민주당 경선 결과가 발표됐다. 이재명 후보가 더불어민주당 대선 후보로 선출됐다. 이 후보는 지난달 4일부터 이날까지 진행된 지역별 순회 경선과 1~3차 선거인단 투표에서 누적 득표율 50.29%를 기록해 결선 투표 없이 후보로 선출됐다.

주목할 점은 지난 1~2차 선거인단 투표와 다르게 이재명 후보의 3차 선거인단에서 패배했다는 점이다. 이는 두 가지 의미가 있다. 첫째, 대장동 의혹과 같은 기득권 계층의 악습과 관행들이 지지 세력을 떠나 많은 공분을 일으켰다. 둘째, 대장동 의혹과 같은 문제가 생기면 지도자는 직접적인 개입이 없다 하더라도 정치적인 타격은 피할 수 없다.

이낙연 후보 측에서는 사퇴한 후보들의 표를 무효로 처리한 것은 부당하다며 결선 투표를 요구하며 반발이 이어졌다. 무효표가 없으면, 이재명 후보의 득표가 과반이 안 되는 만큼 2위인 이 전 대표와 결선 투표를 별도로 다시 진행해야 한다는 취지였다. 이낙연 캠프 선대위원장을 맡았던 설훈 의원은 '상황을 이렇게 만든 책임은 경선을 불공정하게 진행한 당 지도부에게 있다. 이재명 후보가 대장동 의혹으로 구속될 가능성이 굉장히 커진 건 객관적 사실이다. 최소 세 사람으로부터 관련 제보를 들었다.'라며 본선 위기를 지적하기도 했다.

민주당 고용진 수석대변인은 당무위 회의를 마친 뒤, '여러 의견을 들었지만, 민주당이 향후 대선을 향해서 단합하려면 모든 차이점을 극복하는 게 옳다는 취지 아래 의결했다. 결선 투표가 도입되면서 지금의 논란이 발생했다. 향후 그런 논란 소지가 없도록 개정하기로 했다.'라고 말하며 이낙연 후보 측 요구를 받아들이지 않았다.

이에 이낙연 후보는 '당무위원회 결정은 존중한다. 대통령 후보 경선 결과를 수용한다. 정권을 재창출하기 위해 할 수 있는 일을 숙고하고 작은 힘이나마 보태겠다.'라고 밝혔다.

이낙연 후보 측의 이의제기에는 나름의 합리적인 이유가 있다. 첫째, 지난 대선과 총선 때 일부 보수단체에서 선거 부정이 있었다는 터무니없는 주장을 했다. 그런 차원의 문제 제기가 아니다. 사표에 관한 규정이 없는 상황에서 이재명 후보의 득표가 50%가 넘지 못할 수도 있는 매우 애매한 상황이었다. 둘째, 몇 달 동안 이번 선거에 모든 것을 걸었던 수많은 캠프관계자와 지지자들 입장에서는 끝까지 노력하려는 관성이 있을 수밖에 없다. 이건 후보자에 대한 충성보다는 본인이 추구하는 가치에 대한 확신과 신념이다. 이 후보가 당무위원회 결정을 즉시 수용한 만큼 후보 선출 이슈는 표면적으로 깔끔하게 정리된 것처럼 보인다.

8. 경기도 국정 감사

다음주 예정된 이재명 후보의 국정 감사 출석을 앞두고 여야의 신경전이 가열되고 있다. 이 후보가 행정안전위·국토교통위 국감에 출석을 예고하면서 '대장동 의혹'과 관련된 자료 제출과 증인 채택 갈등이 증폭하는 양상이다.

국민의힘은 13일 '대장동 의혹'과 관련한 국감 자료 제출 요구에 경기도청과 성남시청을 항의 방문해 자료 제출을 촉구했다. 이에 이 후보는 '상식적으로 대장동 자료가 경기도에 있을 수 있느냐'고 반박했다. 국민의힘은 '대장동 의혹'과 관련해 이 후보를 핵심 증인으로 채택할 것을 요구했으나 민주당은 '정쟁을 위한 증인 요구'라고 거부했다. 민주당은 대신 윤석열 후보의 부인 김건희 씨를 도이치모터스 주가 조작 사건의 증인으로 부르자고 했다.

이번 국감은 대선을 앞두고 실시되는 만큼 대선 이슈를 많이 다룰 수 밖에 없다. 민주당이든 국민의힘이든 유력 후보와 관련된 이슈를 여러 상임위에서 다루게 될 것이다. 이 후보는 민주당 최종 후보로 선출됨에 따라 국정 감사 출석을 되도록 피하는 게 이익이다. 수많은 의혹으로 공격받을 것이 뻔하기 때문이다. 하지만 두 가지 이유로 이번 국감에 출석했다. 첫 번째, 국민의힘의 주장에 근거가 없음을 국민이 가릴 만큼 분별력이 있다고 본 것이다. 두 번째, 국감이 오히려 정치적인 공격을 반박할 기회가 될 수 있다고 판단한 것으로 보인다.

대한민국 국감과 관련한 기사에 한 공무원의 재미있는 비유가 실렸다. 중국집에서 양장피나 탕수육과 같은 요리를 잔뜩 시켜놓고도 자장면만 한 젓가락하고 나갔다는 표현이다. 매번 국감 때만 되면 몇몇 국회의원들은 이유 모를 방대한 자료 요구를 하며 피감기관이 자료를 내놓지 못하면 정치적인 공격을 한다. 이런 관행은 국정 운율의 효율성을 떨어뜨린다. 관행은 반드시 없어져야 한다.

9. 국민의힘 후보 간 연합전선

국민의힘 본경선 4강에 오른 대선 주자들은 '이재명 저격수'를 자처하고 나섰다. 윤석열 후보와 홍준표 후보는 세력 확장에 공들이고 있다. 윤 후보는 최재형 전 감사원장과 하태경 의원을 영입하려고 하며 홍 후보는 안상수 전 의원을 선대위원장으로 영입하였다. 야권 일각에서는 4파전으로 치러지는 본경선 구도에서 세력 확장이 어떤 영향을 미칠지 주목하고 있다. 중도에 떨어진 다른 후보의 캠프 합류는 향후 후보 경선에 큰 영향을 미치기 어렵다.

국민의힘 대선 주자들이 연합전선을 구축하는 움직임을 보이는 가운데 윤 후보와 원희룡 전 제주지사가, 홍 후보와 유승민 전 의원이 합을 맞추는 모습이 포착되었다. 윤 후보는 12일 '원 후보의 '대장동 게이트 1타 강사' 동영상을 잘 봤다.'라며 토론 실력을 극찬했다. 홍 후보는 '광주

토론에서 유 후보가 윤 후보에게 한 검증을 내부 총질이라고 비난하는 것은 참으로 부적절하다.'라며 유 후보를 옹호했다.

처음 대선 레이스가 시작되었을 때 국민의힘은 1강 다약 구도였다. 윤 후보의 경쟁력이 높지 않았으나 현재 윤 후보와 홍 후보의 양강구도가 굳어지고 있다. 4강 후보들 사이에서 물고 물리는 견제와 합종연횡이 이어지면서 경선이 과열될 수 있다고 우려한다. 2차 컷오프 전까지 토론에서 거의 언급되지 않았던 '도이치모터스 주가 조작' 의혹이 도마 위에 오르기 시작했다는 점을 고려하면 각 후보의 아킬레스건이 등장할 수도 있다는 지적이다.

10. 심상정 정의당 대선 후보 선출

심상정 의원은 지난 8월 29일 네 번째 대선 출마를 선언한 데 이어 예상대로 무난하게 정의당 대선 후보로 선출됐다. 심 의원은 지난 7일부터 오늘 12일까지 치러진 정의당 대선 후보 결선 투표에서, 전체 1만 1,993표 가운데 6,044표, 51.12%를 얻어 48.88%를 기록한 이정미 전 대표를 꺾었다.

제3지대 주요 인물로는 정의당 심상정 후보와 출마를 준비 중인 것으로 알려진 국민의당 안철수 대표, 신당 창당 예정인 김동연 전 경제부총리가 꼽힌다. 현재 이들은 2% 안팎의 저조한 지지율을 보이고 있으나 여야 후보와의 단일화 여부와 완주 의지에 따라 대선 판도에 영향을 미칠 것으로 보인다. 여야 대선 주자의 지지율이 박빙의 경쟁을 벌이면 제3지대가 '캐스팅 보트' 역할을 할 가능성이 있기 때문이다.

11. 대전시 지방의회의원 정수 갈등

내년 6월 지방선거를 앞두고 대전지역 기초의회 선거구 및 의원 정수 조정과 관련한 갈등이 빚어지고 있다. 대전시 5개 자치구 의장단은 '대전시 기초의원 정수가 대전보다 인구가 적은 광주광역시 68석보다 5석이 적다.'라며 의원 정수 확대를 요구했다. 대전이 광주보다 인구가 많은데도 국회의원과 지방의원의 수가 적다는 점은 대전의 정치력이 약하다는 것이다. 이건 정당을 떠나 대전에 있는 모든 정치인이 반성해야 한다.

현재 대전시 자치구의원은 지역구 의원 54명, 비례대표 9명 등 63명으로 구별 의원 정수는 동구 11명(비례 2명), 중구 12명(비례 2명), 서구 20명(비례 2명), 유성구 12명(비례 2명), 대덕구 8명(비례 1명)이다.

의장단은 내년 6월 지방선거를 앞두고 유성구가 의석수를 조정하면서 자치구 간 소모적 다툼이 예상되기에 대전 기초의원 정수를 증원해야 한다고 주장했다. 하지만 전체 의원 정수가 확대되기 위해서는 공직선거법을 개정해야 한다.

대전에서 가장 높은 인구 증가율을 보이는 유성구에서 최소 1석이 늘어날 것이 확실시된다. 현재 유성구는 서구 면적의 두 배에 가까우며 인구가 35만 명이다. 그런데 의원 수가 12명이다. 성장 속도보다 행정조직들이 따라가지 못할 가능성이 있다. 이에 유성구에서는 기초의원 2인을 늘려달라는 요청을 했다. 현재 위원회를 구성하여 심의 중인데, 어떤 자치구에서 조정될지는 결과를 지켜봐야 한다.[6]

6 2022년 2월 26일, 대전시의회에 따르면 대전시 자치구의회 의원 정수조례안이 확정됐다. 동구는 11명에서 10명으로 비례의원 1명이 감소했고, 중구는 12명에서 11명으로 지역구 의원 1명이 감소했다. 반면 유성구는 지역구 12명이 추가됐다.

12. 후보들의 청년 정책 공약 두 번째

4.7 재·보궐 선거에서 '캐스팅 보트'로 떠오른 청년들의 표심을 잡기 위해 여야 후보들의 경쟁이 뜨겁다. 청년 기본소득을 약속하거나 청년들에게도 부동산 투자의 길을 열어놓았다. 그동안 선거에서 청년층은 정치의 사각지대에 있었지만 이젠 존재감이 부쩍 커졌다.

이재명 후보는 2023년부터 19~29세 청년들에게 청년 기본소득을 연간 100만 원을 지급하겠다고 했다. 보편 기본소득과 합산하면 임기 말에는 인당 200만 원이 지급된다. 추경호 국민의힘 의원이 국회예산정책처에 의뢰한 자료에 따르면 기본소득을 위해 2023년부터 2027년까지 5년간 필요한 추가 재정은 252조 5,000억 원으로 연평균 50조 5,000억 원에 달했다.

이재명표 기본소득 설계자인 강남훈 한신대 교수는 국토보유세로 30

조 원, 탄소세로 30조 원을 부과하고 기존 예산을 절감하면 기본소득 재원 마련이 가능하다고 한다. 이 후보는 기본소득 개념을 반영한 청년 배당 정책을 도입한 적이 있다. 2019년 만 24세 청년에게 분기당 25만 원씩, 1년간 총 100만 원을 지역화폐로 지급했었다. 하지만 정책 효과가 없었기에 현 공약에 대한 지적이 있다.

강민진 청년정의당 대표는 '현금성 지원이 필요하지만 모든 청년에게 필요한 만큼의 수당을 주기 어렵다. 현재 청년 문제의 근본적 원인을 고치는 사회적 변화가 동반되어야 한다.'라고 말했다.

세금 대부분의 원천은 소득으로부터 나온다. 소득을 가져다가 소득이 필요한 곳에 나누는 것은 정부의 역할이므로 기본소득을 부여하는 정책은 긍정적으로 생각해 볼 필요가 있다. 물론 비판의 소지는 있다. 첫째, 금액이 너무 적다. 제도 도입 초기이므로 연간 100만 원이 책정되었다. 정책의 실효성을 검증해야 봐야 한다. 두 번째, 기본소득이 청년 문제의 절대적인 해결책은 아니다. 여러 가지 방안 중 하나이다.

윤석열 후보는 청년들에게 원가 주택을 공급한다는 공약을 냈다. 청년 원가 주택은 무주택 청년들에게 건설 원가로 살 집을 공급한다는 게 핵심이다. 시세보다 훨씬 저렴하게 85㎡ 이하 규모의 주택을 분양받아 5년 이상 거주한 뒤 매각하면 국가가 환매한다는 것이다. 매각 시 분양가에 주택 가격 상승분의 70%까지 더한 금액을 받게 되므로 목돈을 마련할 수 있다. 윤 후보는 임기 내에 청년 원가 주택 30만 호와 전국 250만 호 이상, 수도권 130만 호 이상의 신규 주택을 공급하겠다는 계획이다.

하지만 어떻게 30만 호를 공급할 것인가? 윤 후보 측은 3기 신도시 등 공공택지에 조성하겠다고 말하지만 구체적 계획이 아직 없다. 부동산 전문가들은 대지 확보가 쉽지 않을 것이라 전망한다. 또 건설 원가로 분양한다면 뛰어들 민간의 참여가 요원해지는 점도 문제이다.

야당의 다른 후보들 사이에서도 비판의 목소리가 나오고 있다. 홍준표 후보는 '사회주의 체제하에 주택 정책을 말한 것인지 의아스럽다.'라고 했고 유승민 후보는 '2,000조 원의 국가 재원이 들어가는 포퓰리즘으로 청년을 농락했다. 초기 분양 비용은 원가로 공급하더라도 그 이후 재판매되는 가격은 시세의 70%를 반영하기에 최초 공급가 대비 2~3배 오른 가격이 된다. 이 가격은 청년들이 지급할 수 있는 수준일까?'라고 꼬집었다.

윤 후보의 원가 주택 공약은 현실 가능성이 보이지 않는다. 매각을 원하면 국가가 시세의 70%를 보전한다는데 기회비용까지 환산하면 30년 내 1,000조 원 예산이 소요된다고 한다. 청년 중에서도 특정한 사람들만 혜택을 받으므로 다른 세대와의 차별 요인 이슈가 발생한다. 그런 면에서 좋은 공약은 아니다.

원희룡 후보는 '청년교육 카드', '반반 주택 공약'을 내세웠다. 일회성 공공일자리가 아닌 청년들이 진정으로 미래에 대한 희망에 찰 수 있는 일자리를 만들겠다고 약속했다. 특히 우주·바이오·IT 등 대한민국 유망

산업 개척을 위해 연구·개발하는 기업과 대학을 연결하고 연구비를 투여하겠다고 했다. '청년교육 카드는 18세부터 30세가 될 때까지 필요한 시기에 2,000만 원을 자기 계좌 놓고 쓸 수 있는 제도이다. 돈을 기회를 마련하는 데에 쓸 수 있다.'라고 밝혔다.

또 다른 공약으로는 '반반 주택'이 있다. 원 후보는 부모의 후광을 이용하는 '부모 찬스'에 빗대 자신의 공약을 '국가 찬스'라고 이름 붙였다. 신혼부부의 내 집 마련 비용 절반을 국가가 투자해 부담을 줄이겠다는 골자이다. 이와 함께 1가구 1주택 양도세 유예와 임대차 3법 폐지 등도 공약했다. 청년·신혼부부 주거 안정을 위해 소득이 낮은 만 39세 이하 1인 가구에 국가가 전·월세 보증금 최대 1억 5,000만 원까지 저리로 대출하고, 신혼부부에게는 2억 원의 무이자 대출을 지원하고 자녀 출산에 따라 추가 대출을 지원해 최대 3억 원까지 무이자 대출을 지원하는 공약도 발표했다.

청년교육 카드 공약은 교육비 부담을 겪는 청년들에게 새로운 기회를 준다. 하지만 당장 내일 먹고 살아갈 생계를 걱정하는 청년층에게는 교육비 지원이 실효적이지 못하다. 이런 측면에서는 지원 대상을 특정하지 않은 이 후보의 청년 기본소득이 훨씬 효과적일 수 있다.

반반 주택 공약은 부모님이 집 구매 자금을 보태주기 어려운 청년들을 국가가 50% 공동투자 개념으로 지원해 주겠다는 것이다. 국민의힘 후보들의 청년 주택구매 공약 중에서는 가장 좋은 공약이다. 현실화한다면 많은 청년이 반길 만한 공약이다.

유승민 후보는 청년 플러스 통장을 약속했다. 18~30세 청년을 대상으로 월 50만 원 이내의 교육 훈련 비용과 월 100만 원 이내 생활비 등 최대 월 150만 원을 지원하겠다는 것이다. 취업 준비에도 부익부 빈익빈이 있기에 이를 해소하기 위한 정책이다. 또한 비정규직 축소를 위해 공공·대기업·금융 부문의 상시·지속 업무에 대해서는 기간제(계약직) 근로자를 사용할 수 없게 하고 임금 차별 금지 규제의 비교 대상 근로자의 범위를 확대하겠다는 내용도 넣었다.

청년과 신혼부부에겐 LTV 규제를 90%까지 제한 없이 풀고, 최대 5억 원까지 1%대 초저금리로 대출을 지원하겠다고 했다.

국민의힘 후보들도 포퓰리즘 정책이라는 비판에서 벗어날 수 없다. 청년 플러스 통장은 월 150~200만 원에 달하는 금액을 지원한다. 막대한 예산을 어떻게 조달할 것인지 우려가 있을 수밖에 없다. 그리고 LTV 규제를 90%까지 푼다는 약속은 너무 과하다. 3억 원짜리 아파트를 3천만 원으로 구매할 수 있다면 청년의 이름으로 여러 가지 투기행위가 발생할까 염려된다.

홍준표 후보는 '청년만 특정하는 청년 정책은 없다.'라고 못 박으며 다른 후보들과 차별화를 뒀다. 초고층 고밀도 개발 분양권을 청년으로 제한하거나 모병제로 전환하는 정책 곳곳에 청년을 위한 생각들이 녹아있을 뿐이라고 설명했다. 대신 최저 임금의 급격한 상승과 주 52시간제도

등 기업을 옥죄는 수많은 규제를 걷어내 경제 발전을 도모하고 일자리를 창출하겠다는 계획이다. 그리고 홍 후보는 MZ 세대가 많이 보는 웹예능 프로그램에 출연하기를 원한다고 밝혔다.

홍 후보가 청년 정책이 부재하다고 떳떳하게 밝혔으나 기존 정책의 문제점을 보완하려는 의지는 없어 보인다. 프로그램을 통해 대중들의 관심을 끄는 것은 찬성이다. 근엄한 모습이 아니라 재밌고 친밀한 모습을 보여야 한다.

청년 단체의 한 대표는 '그동안의 청년 정책을 보면 공공기관 일자리나 창업 지원 등 일부만 혜택을 볼 수 있어 체감도가 낮았다. 청년 정책들이 청년들을 잡기엔 부족한 측면이 있다. 청년들은 개별 정책을 보고 후보를 결정하는 게 아니라 후보의 메시지나 성향에 더 큰 영향을 받는다.'라고 이야기했다.

그렇다면 청년들에게 어떤 정책이 가장 적합할까? 취업하지 않은 청년에게는 좋은 일자리가 필요하고, 결혼하지 않은 청년에게는 혼인을 위한 보금자리가 필요하고, 혼인한 청년에게는 안전한 보육 환경이 필요하다. 상황에 따라 다를 수밖에 없다. 바쁜 청년들의 목소리를 정치권에서 듣기는 어려우므로 정치권에 진입하는 청년들이 많아져서 그들의 목소리를 정당과 의회 안에 전달하는 기회가 생겼으면 한다.

13. 민주당 대전시당, 선출직 공직자 평가 윤리 항목 신설

더불어민주당 대전시당이 내년 대선 이후 곧바로 치러질 지방선거를 앞두고 실시할 현직 기초단체장, 시·구의원 평가항목에 도덕성·윤리 분야를 신설했다. 27일 더불어민주당 대전시당 선출직 공직자 평가 위원회에 따르면 올해 신설된 도덕성·윤리 항목에 청와대가 제시한 고위공직 후보자 인사 검증 기준이 반영됐다. 부동산 투기, 병역 기피, 탈세, 위장 전입, 논문 표절, 음주운전, 성 관련 범죄 등 7대 비리 여부를 평가한다.

국민 대부분은 지방의원의 됨됨이보다 지지하는 정당의 선택을 믿고 투표권을 행사한다. 따라서 정당의 공천은 매우 중요하다. 선출직 공직자의 가장 중요한 덕목은 행정이나 의정 능력보다 윤리와 도덕이라고 생각한다. 도덕성과 윤리의식에 문제가 있는 후보에게 큰 페널티를 부여하는 것은 적절한 조치이다.

14. 국민의힘, 정당 사상 최초 자격시험 추진

국민의힘 최고위는 내년 6월 지방선거 공직자 후보자 대상 자격시험 도입안을 승인했다. 상위권 성적을 기록하면 공천에 가산점을 부여받는다. 정당법·지방자치법·정치자금법·당헌-당규, 경제-외교 현안 분야에 대한 문제를 풀어야 한다.

이준석 국민의힘 대표가 수준에 맞지 않는 인사를 배제하고자 줄곧 주장했던 자격시험을 도입한 것으로 본다. 후보자들도 이번 기회를 통해 정당과 지방자치법, 정치자금법에 대해 배워야 한다.

다만 가점제 방식으로 추진되어 지역 당협위원장의 공천 영향력을 억제할 만한 수준에는 못 미칠 듯하다. 애초 추진 의지에 비해 용두사미가 된 점이 다소 안타깝다.

2021년 11월 3일, 국민의힘은 비대면 방식으로 상임전국위원회를 열어 자격시험 평가 결과에 따라 경선 가산점을 부여하는 당규 개정안을 의결했다. 자격시험은 우선 지방선거 공천에만 한정해 적용한다.

(사진 출처: 연합뉴스)

15. 대전시 유성 복합여객터미널 사업방식 변경

대전시가 6,000억 원짜리 유성 복합여객터미널 사업방식을 민간 주도에서 공영 개발로 바꾸면서 논란이 일고 있다. 국민의힘 대전시당에서는 유성 터미널 사업이 대전시의 행정 미숙으로 제대로 추진되지 못한다며 비판의 목소리를 냈다.

십여 년 전 대전시에서는 유성 복합여객터미널을 민간 주도 방식으로 개발하려 했다. 민간 주도 방식은 사업을 신속하고 효율적으로 이끌 수 있다는 점이 장점이다. 하지만 개발사업의 리스크 때문에 이익이 보장되어야 한다. 상당히 큰 이익이 개발회사로 전가되어야 한다. 그동안 이익의 접점을 찾지 못해 시행이 진행되지 못했다.

K 개발회사가 사업자로 선정이 되었으나 회사 내분으로 협약 이행 보증금을 내지 못했다. 대전시에서는 계속 연기해 주다가 계약대로 사업

자 자격을 박탈했다. 그러면서 공영 개발로 전환이 된 것이다. 그동안 미뤄진 만큼 대전시민에게 더 좋은 시설이 만들어질 거라 기대한다. 개발 이익이 대전시민 모두에게 돌아갈 수 있으므로 '전화위복'으로 삼아야 한다.

16. 대전시 지방의원 농지법 위반 혐의

대전참여자치시민연대는 지난 3월 안산 국방 첨단산업단지 부동산 투기 조사 결과 발표 이후, '대전광역시 공직자 부동산 투기 시민 조사팀'을 추가로 구성했다. 대전광역시 재산공개 대상자 및 대전광역시 서구 개발 지구를 중심으로 조사를 진행하여 지난 26일에 결과를 발표했다. 결과에 따르면 대전시의원 8명, 자치구의회 의원 9명 등 모두 17명의 선출직 공직자들이 농지법을 위반한 의혹이 있다.

농지법 6조에 따르면, 농지는 자기의 농업경영에 이용하거나 이용할 자가 아니면 소유하지 못한다. 또한 7조에서는 주말, 체험·영농 농지세대원 기준 1,000㎡까지 농지 소유를 제한한다. 17명의 선출직 공직자들은 대전뿐만 아니라 청주, 무주, 금산, 논산, 옥천, 세종 등 다양한 곳의 농지를 소유하고 있는 것으로 나타났다.

참여연대는 해당 의원들의 소유 토지를 직접 찾아 경작 여부 등을 조사했다. 농사 흔적을 찾을 수 없는 곳이 적지 않았다고 주장했다. 농사를 짓지 않는 사람이 농지를 취득한 행위는 비판받아야 한다. 하지만 단순히 농지법 위반이라고 해서 당사자를 비난하는 것은 생각해 볼 필요가 있다. 조상 대대로 전해진 농지를 친족들과 공동상속 받았기에 팔고 싶어도 팔지 못하는 것이라면 비난할 수 있을까? 취득 의도와 목적에 따라 비난 여부를 가려야 한다고 생각한다.

제6장.

2021년 11월

"굳어지는 양강구도"

1. 좁혀지는 대선 후보 구도
2. 국민의힘 20·30 세대 탈당
3. 코로나19 정책 공약
4. 주 4일제 근무
5. 피선거권 나이 하향
6. 전두환 전 대통령의 사망
7. 민주당의 선거대책위원회
8. 김종인, 국민의힘 비상대책위원장 합류
9. 청년선대위 열풍
10. 종합부동산세 논란

1. 좁혀지는 대선 후보 구도

국민의힘 윤석열 후보의 당 경선에서 승리했다. 더불어민주당 이재명 후보, 국민의힘 윤석열 후보, 정의당 심상정 후보, 국민의당 안철수 후보의 4자 구도이다. 윤 후보는 경선 승리 이후 지지율 상승효과, '컨벤션 효과'를 누리고 있다.

정치 경험이 없는 인물이 제1 여당의 대통령 후보로 선출된 사실이 놀랍다. 윤 후보의 커리어는 정치인으로서 좋다고 볼 수는 없다. 부유한 집안에 태어나서 서울대 법대를 졸업하고 검사 생활만 줄곧 해왔다. 입법과 행정 분야를 경험해 보지 못했고 정당 활동도 하지 않았다. 그런데도 제1야당 후보로 선출되고 높은 지지를 받는다는 이유는 정부와 집권 여당인 민주당 원인이 크다.

윤석열 후보가 가지고 있는 '공정' 메시지에 국민의 기대가 크다. 남은 대선 기간에 민주당이 승리하려면 집권 여당으로서 국민의 눈높이에 맞는 가치를 추구했는가에 대해 반성해야 한다.

여론 조사가 높은 인물이 정당에 갓 들어와 대통령 후보가 되는 선례가 바람직할까? 대통령 선거보다 중요도가 상대적으로 적은 국회의원 후보라도 공천 전까지 당에서 검증이 필요하다. 사회에서의 경력에 대한 검증뿐 아니라 정치 행위에 관한 판단도 매우 중요하다. 따라서 윤석열 후보와 같은 사례는 한국 정치에 큰 위협 요소가 될 수 있다.

국민의힘 경선을 지켜보며 정당에서의 두 가지 패착을 살펴봤다. 첫째, 계파정치가 아직도 심하다. 민주당을 포함한 다른 정당도 이 비판에서 벗어날 수 없다. 국회의원을 포함한 당협위원장들이 지지율이 높은 후보에게 줄을 댔다. 한 언론에 따르면 국민의힘 대부분 조직이 윤석열 캠프에 줄을 댔다는 표현을 사용할 정도였다. 국민의힘 전신인 한나라당 시절, 이명박 전 대통령과 박근혜 전 대통령의 사례를 통해 이런 악습이 이어진 게 아닌가 싶다. 이명박 대통령이 집권하자 박근혜 측 인사들이 공천 배제되고 박근혜 대통령이 집권하니 이명박 측 인사들이 공천 배제됐던 역사가 있다. 국민의힘은 승자에 줄을 대지 않으면 정치를 못 하는 계파정치가 유독 심해 보인다. 계파를 초월해 기준에 맞는 후보에게 공천을 주기 위한 노력이 필요하다.

둘째는 폐쇄적인 당원 민주주의다. 홍준표 후보의 당내 지지율이 매우 낮았다. 당협위원장들을 포함한 조직이 당내 여론을 장악하고 있다는 느낌이다. 당원 여론과 일반 국민의 여론과의 갭이 크게 느껴졌다. 당원 여론이 국민 목소리와 크게 다르다면 정당 내 민주주의가 실현되기 어렵지 않을까? 국민이 더 많이 정당에 가입하여 적극적으로 정당 내 의사결정 과정에 참여한다면 이런 문제가 해소될 수 있다.

2021년 11월 2일, 더불어민주당 이재명 후보가 2일 서울 올림픽 경기장 KSPO돔에서 열린 더불어민주당 제20대 대통령 선거 선거대책위원회 출범식에서 지지 연설한 이낙연 전 대표와 악수하고 있다.

(사진 출처: 연합뉴스)

2. 국민의힘 20·30 세대 탈당

국민의힘 대선 후보로 윤석열 전 검찰 총장이 선출된 이후 지난 8일까지의 기준으로 국민의힘을 탈당한 책임당원(선거인단)이 3,000명에 달하는 것으로 파악됐다. 국민의힘 이준석 대표는 8일 페이스북을 통해 탈당 원서 통계 현황을 공개했다. 대선 후보 선출 전당대회 이후 접수된 탈당 원서를 보면 서울시당 책임당원 가운데 탈당자는 623명, 이 가운데 20·30세대는 약 84%에 달하는 527명이다.

이 대표는 '지난 주말 수도권에서만 1,800명이 넘게 탈당했고 탈당자 중 20·30 세대 비율은 75%가 넘는다.'라고 했다. 이는 경선에서 탈락한 홍준표 후보와 유승민 후보의 20·30 세대 지지율이 높았다는 사실을 의미한다. 20·30 세대의 탈당이 많았던 이유를 두 가지로 정리할 수 있다. 첫째, 국민의힘이 좋아서 당원 가입을 했다기보다 문재인 정부와 집권 여당인 민주당에 대한 반감으로 국민의힘을 선택했을 가능성이 크다. 이들은 당에 대한 충성심이 높거나 당내 조직에 의해 통제되는 당원들이 아니다.

둘째, 20·30 세대는 능력을 가장 객관적으로 판단할 수 있는 세대이다. 수차례에 걸친 국민의힘 대선 후보 토론회를 보고 윤석열 후보를 준비가 안 되었다고 평가했을 가능성이 크다. 윤 후보는 정치, 경제, 환경, 문화 등 그 어떤 분야도 깊게 숙고했다는 인상이나 본인만의 정치철학을 보여주지 못했다.

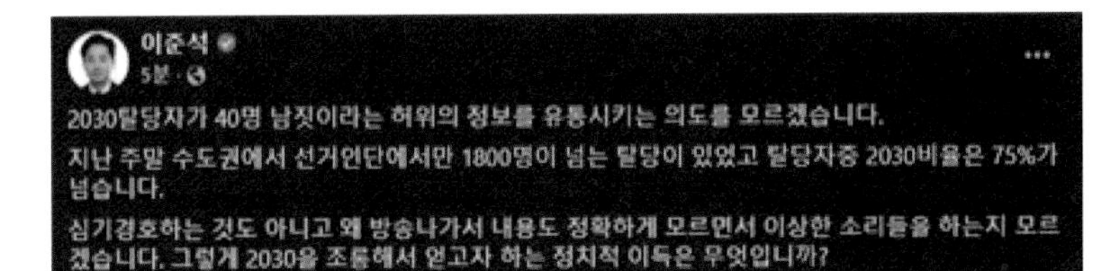

2021년 11월 8일, 이준석 국민의힘 대표가 8일 오후 자신의 페이스북에서 1,800여 명에 달하는 탈당자 75%가 20 30 세대라고 밝혔다.

(사진 출처: 페이스북)

3. 코로나19 정책 공약

코로나19 피해 극복을 명분으로 한 대선 주자들의 공약 경쟁이 치열해지고 있다. 더불어민주당 이재명 후보가 '전 국민 재난지원금' 추가 지급에 나서자, 국민의힘 윤석열 후보가 '피해를 본 분에게 맞춤형으로 지원해야 한다. 소상공인 손실보상금을 중심으로 선별적 지원을 추진하겠다.'라고 밝혔다.

민주당은 정부의 반대 견해 표명에도 불구하고, '전 국민 방역지원금' 지급을 추진한다고 말했다. 코로나로 인한 피해의 대상은 전 국민이다. 실내에서도 마스크를 착용하고 여행도 다니기 어려운 상황이다. 최소한 마스크비 정도의 지원은 국가가 해주는 것이 맞다.

윤석열 후보는 100일 동안 50조 원으로 자영업자 손실을 전액 보상한다는 공약을 했다. 피해 소상공인분들에 대한 지원이 턱없이 부족하다. 지원을 받기 위한 소상공인 기준에 업종 제한이 있다. 코로나로 인한 매출 감소를 증명하기 어려워 지원을 받지 못하기도 한다. 소상공인의 판단 기준이 무엇이며 그들을 어떻게 지원할지가 중요하다.

4. 주 4일제 근무

정의당 심상정 후보는 1호 공약으로 '주 4일제'를 내세웠다. 심 후보는 주 4일제를 적용해도 노동자의 임금은 유지될 것이라는 입장이다. '임금이 삭감되려면 주 4일제를 했을 때 생산성이 저하돼야 한다. OECD 지표나 KDI 조사 결과를 보면 오히려 주 4일제를 했을 때 1인당 평균 1.5배의 생산성이 향상된다. 중요한 것은 기업 규모별이나 업종별 격차를 어떻게 단축할 것인가다. 5인 미만 사업장까지 포함해서 근무 일수를 단축하는 로드맵을 만들어서 제시하겠다.'라고 강조했다.

과거 주 6일제 근무에서 5일제 근무로 지정하기까지 많은 마찰이 있었다. 이제 주 4일제를 논의할 만한 시점이지만 국가 주도로 주 4일제를 도입하는 것은 신중해야 한다.

주 4일제 시행에 대해 산업과 학계에서는 활발한 논의가 필요하다. 그

이유는 다음과 같다. 첫째, 여가 관련 산업이 발전할 수 있다. 주 5일제 시행 후에 호텔과 콘도, 레저 분야의 비약적 발전이 있었다. 주 4일제가 정착되면 이 분야의 산업이 더 성장하여 해외 관광객도 늘 것이다. 둘째, 업무 환경이 충분하다. 컴퓨터와 인터넷의 발달로 2, 30년 전보다 수십 배 이상의 업무 처리가 가능하다. 업무 효율이 향상할수록 근무시간이 감소하는 것이 자연스럽다. 업무 환경은 변했으나 근무시간이 그대로라면 비생산적이다.

반면 주 4일제 근무 시행에 대한 두 가지 우려도 있다. 첫째, 직업의 양극화가 더 심해질 수 있다. 지금도 주말에 근무하는 분들이 많다. 주말 근로자에게 충분한 보상이 이뤄져야 한다. 둘째, 제조업과 같이 노동 원가에 민감한 산업에 악영향을 끼칠 수 있다. 노동력에 영향을 받는 산업에 주 4일제 근무가 끼칠 영향에 대해 조심스럽게 접근해야 한다.

주 4일제를 전면적으로 시행하기보다는 사회적 합의를 통해 우선 금요일 오후를 격주로 쉬고, 휴일 수당 지급도 유예하는 등 단계적인 시행을 도모하는 것이 좋다.

2021년 11월 24일, 심상정 정의당 대통령 선거 후보가 국회도서관에서 열린 보건의료노조 주 4일제 연구용역 발표에서 축사하고 있다.

(사진 출처: 한겨레)

5. 피선거권 나이 하향

대선 국면에 접어든 여야가 피선거권 연령 제한을 18세 이상으로 낮추려고 한다. '캐스팅 보트'로 여겨지는 청년층에 표심을 호소하는 것으로 분석된다. 현행 선거법상 만 18세가 되면 '투표권'을 행사할 수 있지만, 국회의원·지방자치단체장 등 주요 공직에 출마하기 위해서는 만 25세의 연령 제한 규정이 있다.

지난 6일 '청년의 날 기념식'에서 이준석 국민의힘 대표가 '국민의힘은 지방선거와 국회의원 선거에 출마할 수 있는 피선거권 연령 제한을 선거권과 같게 조정해 연령 제한을 철폐하겠다.'라고 언급하면서부터 논의의 물꼬를 텄다. 이에 송영길 민주당 대표는 '민주당이 일찍부터 주장해오던 것이므로 정개특위를 열어 논의를 시작하자.'라고 재촉했다.

청년들이 피선거권 나이 하향을 주장하는 이유는 경험이 없다는 이유로 청년을 무시하는 분위기가 개선되어야 하기 때문이다. 이번 국민의힘 대선 후보 경선 결과 청년층이 다수 탈당하였다. 김재원 최고위원이 이를 대수롭지 않게 여겼으나 바람직하지 않다. 청년들의 목소리를 무시하는 태도였기 때문이다. 피선거권 나이 하향으로 이런 분위기가 환기되길 바란다.

6. 전두환 전 대통령의 사망

지난 23일에 전두환 씨가 향년 90세로 사망했다. 여야는 진영별로 온도 차를 드러내고 있다. 더불어민주당 이재명 후보는 '용서받지 못할 범죄자를 조문하지 않는다.'라고 말했다. 국민의힘 윤석열 후보는 조문 입장을 번복하며 '결정은 개인의 자유이다.'라고 했다. 정의당 심상정 후보는 '성찰 없는 죽음은 그조차 유죄이다.'라고 주장했다.

더불어민주당과 정의당은 참회 없이 떠난 전두환 씨를 강도 높게 비판했다. 국가장을 치를 수 없고 조문하는 것도 불가능하다고 선을 그었다. 국민의힘은 조화는 보내되 조문은 개인에게 맡기기로 했다. 홍준표 후보도 '조문 가는 것이 도리가 아닌가.'라고 했다가 '반대 의견을 받아들이겠다.'라고 선회했다. 국민의힘은 아직도 과거에 머물러있는가? 보수정당이라면 반듯한 사관을 갖고 앞장서야 한다.

전두환 씨의 사망을 바라보는 시각은 정치적 이해관계를 떠나야 한다. 그는 사리사욕을 위해 남북이 첨예하게 대립하고 있던 당시에 계엄령을 선포하고 군사정권을 이어갔다. 그 과정에서 수많은 희생이 있었다. 나라의 미래를 위해 정의로운 행동을 했던 5·18 민주화운동 의인들이다. 유가족께 조금의 반성도 없이 사망한 전두환 씨에 대한 비판은 당연하다.

전두환 씨는 사망 전에도 '통장에 29만 원뿐'이라는 말로 분노를 일게 했다. 1997년 대법원 전두환 씨에게 내란과 살인, 뇌물 등으로 무기징역을 확정하며 추징금 2천205억 원을 부과했다. 그러나 2003년 법원의 '재산 명시' 심리 과정에서 '통장에 29만 원뿐'이라는 말이 나와 공분을 샀다.

2013년 제3자의 재산까지 환수할 수 있는 '전두환 추징법'이 통과되자 검찰은 추징금 집행을 위한 전담팀까지 구성했다. 24년간 환수된 추징금은 1,249억 원으로서 아직 956억 원이 남아 있다. 현행법상 납부 의무자가 사망하면 추징금 집행이 중단되는 만큼 추가 환수가 어려워 보인다. 검찰은 연희동 집 별채 등 공매가 진행 중인 재산을 환수할 수 있는지 조사하고 있다. 공매가 진행 중인 재산만이라도 적극적인 환수되기를 바란다.

2021년 11월 24일, 전두환 씨가 향년 90세로 사망한 지 이틀째. 서울 서대문구 세브란스병원 신촌장례식장에 마련된 빈소가 한가하다.

(사진 출처: 이데일리)

7. 민주당의 선거대책위원회

민주당은 24일 선거대책위원회를 꾸리고 여기에 힘을 싣고자 사무총장과 정책위의장, 수석대변인 등 주요 정무직 당직 의원들이 일괄 사퇴했다.

이재명 후보는 '깊이 성찰하고 앞으로는 지금까지와는 완전히 달라진 새로운 민주당으로 거듭나겠다.'라며 책상 앞으로 바닥에 무릎을 꿇고 크게 절을 한 뒤 더 깊게 허리를 숙여 인사했다. 이 후보는 '정무직 당직자의 거취를 요구하지 않았지만 이렇게 결단해주실 줄은 몰랐다, 민생이 우선이라는 대원칙에 따라 대선 승리를 위해 모든 것을 내려놔 주신 용단에 감사하게 생각한다.'라고 밝혔다.

민주당이 대선에서 승리하기 위해서는 비판받아온 정책에 대해 인정하는 태도이다. 사실관계에 대한 오해가 있지만 해명하기보다 사과하는 게 중요하다. 국민이 잘못했다면 잘못한 게 맞다. 사무총장과 정책위의장, 수석대변인 등 주요 정무직 의원들의 일괄 사퇴를 반성의 메시지로 볼 수 있다.

2022년 11월 19일, 저자 김관형이 KBS 대전 '생생토론'에 출연해 대선 최대의 승부처인 '청년 표심'에 대해 이야기하고 있다.

(사진 출처: KBS)

8. 김종인, 국민의힘 비상대책위원장 합류

국민의힘에 김종인 전 비상대책위원장의 합류한 것[7]에 대해 의견이 엇갈리고 있다. 국민의힘 윤석열 후보와 김종인 전 비상대책위원장이 선대위 인선 문제를 풀기 위해 만찬 회동을 했지만 합의에는 이르지 못했다.

김 전 위원장은 '처음부터 출발을 잘해야지, 도중에 괜히 쓸데없는 잡음이 생겨서 그때 가서 이러니저러니 이야기하면 선거에 결정적인 영향을 미칠 수밖에 없다. 사전에 제대로 정비하고서 출발해야 한다.'라고 설명했다. 이 밖에도 조직총괄본부장에 주호영 의원, 정책 총괄본부장 원

7 2021년 12월 3일, 김종인 위원장은 국민의힘 총괄선대위원장직을 수락하였다. 고령임에도 4월 재보선에 이어 국민의힘 대선 캠프를 이끌겠다는 의사였다. 하지만 2022년 1월 5일, 김종인 위원장은 선대위원장 해촉 소식을 듣고 '내 발로 나가겠다.'라며 윤석열 캠프와 결별수순을 밟았다.

희룡 전 제주지사, 총괄특보단장에 권영세 의원, 홍보 미디어 본부장 이준석 대표, 직능총괄본부장 김성태 전 의원, 당무 지원 본부장 권성동 사무총장 등이 확정됐다.

제1야당인 보수정당은 선거에 유리하다는 이유로 진보 인사들을 합류시킨다. 김한길 전 대표도 마찬가지이다. 따르는 후배와 제자들이 없는지 노선이 전혀 다른 정당의 러브콜에 쉽게 응했다.

김종인 위원장과 김한길 위원장의 이와 같은 행보는 자리를 찾아 떠나는 철새 같아 보인다. 훗날 진보와 보수의 가치를 부정했던 사실로 해석될 것이다.

9. 청년선대위 열풍

정치권이 표심을 정하지 못한 청년 세대를 공략하기 위해 잇따라 청년선대위를 출범하고 있다. 민주당의 청년선대위가 먼저 출범했는데 '꼰대 이미지를 깨자.'라며 조직 명칭도 '다이너마이트 청년선대위'로 정했다. 민주당 청년선대위의 공동위원장은 권지웅 선대위 부대변인과 서난이 전주시의원이 맡게 됐다.

33세인 권 위원장은 청년과 대학생의 주거 문제 개선을 위한 '대학생 주거권네트워크', '민달팽이유니온' 등에서 활동한 시민 활동가 출신이다. 35세인 서 위원장은 전북환경운동연합에서 활동 중인 환경운동가 출신이다.

청년선대위 내에 '민주당 꼰대짓 그만해 위원회', '남혐여혐 둘 다 싫어 위원회' 등 2개 조직을 만들겠다고 하자 강민진 청년정의당 대표는 그 명칭을 두고 강하게 비판했다. "'남혐'과 '여혐'을 사회 구조적인 맥락을 보지 않고 접근하는 민주당 청년선대위의 결정에 동의할 수 없다. '남혐'과 '여혐'은 동일선상의 문제가 아니다. '여혐'은 여성의 낮은 경제적 지위에 기반한 사회 구조적 현상이지만 '남혐'은 그렇지 않다.'라고 지적했다.

강 대표는 사회 구조적으로 남혐이란 단어는 성립할 수 없다고 주장한다. 그러나 오히려 편향된 시각의 여성운동이 대중의 지지를 받기 어렵다. 요즘 정의당의 목소리는 극단적이라는 인상을 준다. 그동안 정의당이 대중의 지지를 받았던 이유는 정당의 가치 때문이다. 지금처럼 여성운동에 매몰된다면 더 이상의 외연 확장은 쉽지 않다.

2021년 11월 24일, 서울 여의도 더불어민주당 당사에서 열린 더불어민주당 다이너마이트 청년선대위 선대위원장 인선 발표 브리핑에서 청년선대위 공동위원장으로 발탁된 권지웅 새로운사회를여는주택 사내이사(왼쪽 네 번째)와 서난이 전주시의원(왼쪽 여섯 번째)이 인사말을 하고 있다.

(사진 출처: 연합뉴스)

10. 종합부동산세 논란

대선을 앞둔 정치권에서 종부세 논란이 계속되고 있다. 이재명 후보는 '종부세 대신 국토보유세[8]를 도입해 세금 낼 사람은 내더라도 더 많은 이들에게 기본소득을 나누겠다.'라는 견해다. 윤석열 국민의힘 후보는 '종부세를 재산세로 합치거나 1주택자 종부세를 없애서 세금 폭탄을 맞지 않게 하겠다.'라고 나섰다. 심상정 정의당 후보는 '종부세는 전액 지방교부금으로 분배되는데 종부세가 감소하면 지방 재정도 감소한다. 국민의힘과 민주당이 야합해서 반 토막 내버린 종부세를 제대로 복원하고 OECD 평균 수준인 0.33%까지는 좌고우면하지 않고 분명히 올리겠

8 이재명 후보 캠프가 제안한 세금으로 토지를 가진 사람이 토지 가격의 일정 비율을 세금으로 내도록 하는 세법 제도다. 헌법에 규정된 토지공개념을 구현하기 위해 공유자산으로 볼 수 있는 토지에 일괄적으로 세금을 매기겠다는 뜻이기도 하다.

다.'라고 약속했다.

주택에 대한 소유욕은 인간의 기본 욕망이므로 정부에서는 주택 공급을 원활하게 해야 한다. 그러나 주택 가격이 천정부지로 올랐다. 그렇다고 후대에 물려줘야 할 소중한 자산인 논밭과 산을 갈아엎고 아파트를 짓는 것은 옳지 못하다. 결국 다주택 소유자가 주택을 처분하게 하는 것이 중요하다. 이를 위해 종부세가 존재한다.

종부세를 비판하는 사람들은 오해가 있다. 2주택 이상인 다주택자 37만 6,000명이 전체 고지세액의 82%인 1조 4,960억 원을 부담한다. 기획재정부에서도 '2주택 이상 다주택자가 전체 세액의 82%를 부담하고 100만 원 이하 납부자가 전체 과세 인원의 65%를 차지한다.'라고 설명했다.

현행 종부세에 문제가 없는 것은 아니다. 두 가지를 보완해야 한다. 첫째, 1주택자와 다주택자의 종부세액 차이가 매우 크다. 시골 주택을 보유했어도 다주택자로 분류된다. 저가의 주택은 주택 수 산정에서 제외해야 한다. 둘째, 이사를 위해서 또는 부득이한 사유 등으로 일시적으로 2주택이 되었을 때도 다주택자로 분류된다. 이런 문제들은 반드시 해결되어야 한다.

제7장.

2021년 12월의 이슈

"막판까지 치열한 두 후보의 공방"

1. 선대위원장 지명 철회

2. 인재 영입의 양과 음

3. 고등학생 선대위원장

4. 정의당 버스 민생 투어

5. 여야의 돈 풀기 경쟁

6. 후보들의 가족 리스크

7. 국민의힘 캠프, 신지예 합류 논란

8. 후보자들, 당과의 갈등

9. 병역 모병제

10. 윤석열 후보, 30대 장관 나오게 하겠다

11. 토론회 횟수

12. 학생부종합전형 폐지

13. 신년 여론 조사, 치열한 접전

1. 선대위원장 지명 철회

여야 모두 선대위 구성을 마치고 본격적인 경쟁 구도에 들어갔다. 하지만 인재 검증에 부실했다는 지적이 나오고 있다. 민주당은 지난달 30일 선대위의 '1호 영입 인재'로 조동연 서경대 교수를 내세웠다. 여군 장교 출신의 군사·우주 전문가라는 이력과 30대 워킹맘이라는 상징성을 갖춘 조 위원장이 향후 선거 운동에서 '간판' 역할을 해줄 것으로 기대했다. 하지만 혼외자 의혹 등 사생활 논란이 불거지자 이재명 후보가 '모든 책임은 내가 지겠다.'라며 진화에 나섰다. 송영길 대표가 삼고초려 끝에 발탁한 인사인 만큼 당 대표에 대한 책임론까지 제기되고 있다.

아이의 실명이 드러난 영상 댓글에는 성희롱 발언이 달려 있다. 조 위원장이 성폭력으로 인해 원치 않은 임신을 한 사실을 공개하며 자녀에 대한 비난을 멈춰달라고 밝히자 강민진 청년정의당 대표는 다음과 같이 의사를 표명했다. '참담한 심정을 금할 길이 없다. 밝히지 않고 싶었을 과거까지 꺼내 보여야 하는 인권유린의 상황까지 내몰렸다. 우리의 낮은 정치 수준이 가해자이다. 혼외자가 있는 사람은 정치를 하면 안 되나.'라고 했다.

민주당의 인사는 실패로 돌아갔다. 조 위원장은 상징성이 큰 인물이었다. 그러나 혼외자 의혹 때문에 이미지가 많이 퇴색되었다. 그러나 도를 넘는 더 이상의 비난은 자제해야 한다. 개인의 인생에 대해 누구도 자세히 알기는 어렵다. 사실관계가 아직 명확히 밝혀지지 않았으므로 마녀사냥은 멈춰야 한다.

국민의힘은 피부과 의사이자 방송인인 함익병 씨를 공동선대위원장에 내정했다고 발표했다가 7시간 만에 철회했다. 함 씨는 과거에 '더 잘 살 수 있으면 왕정도 상관없다. 대한민국이 이 정도로 발전한 건 박정희의 독재가 큰 역할을 했다.', '여자는 국방 의무를 지지 않으니 3/4만 권리를 행사해야 한다, 자식을 2명 낳은 여자는 예외로 할 수 있다.'와 같은 발언을 해 거센 비판을 받았다.

노재승 위원장은 지난 5월 페이스북에 5·18 관련 동영상을 공유하며 '성역화 1대장', '관점에 따라 폭동이라 볼 수 있다.'라고 언급한 일로 비판을 받고 있다. 일부 보수단체가 가짜 유공자가 있으니 명단을 공개하자고 요구한 것을 받아들여 '5·18 유공자 명단을 광장에 걸자.'라고도 주장했다. '이승만과 박정희는 신이 대한민국에 보낸 구원자', '정규직 폐지론자로서 대통령이 '정규직 제로 시대' 슬로건을 내걸면 어떨까?', '시장에 '공공'이나 '정부'를 먼저 언급하는 자에게 표를 주려 한다면 당신이 공산주의자이다.' 같은 글도 문제시되었다.

함 씨의 시대착오적인 발언들이나 노 위원장의 과격한 표현들은 아직 근현대사에서 정리되지 않은 문제들이 많다는 것을 의미한다. 개인마다 사관의 차이가 있을 수는 있지만 상식에 근거한 최소한의 기준이 존재해야 한다. 정당들은 엄격한 기준에 따라 인물을 영입해야 한다.

2021년 11월 30일, 서울 여의도 더불어민주당 중앙당사에서 열린 '이재명 캠프 공동상임선대위원장 인선 발표'에서 공동상임선대위원장으로 임명된 조동연 교수(가운데)가 인사말을 하고 있다. 왼쪽부터 이재명 후보, 조동연 교수, 송영길 대표.
(사진 출처: 한겨레)

2. 인재 영입의 양과 음

여야가 영입한 외부 인재가 연이어 낙마하는 것은 한정된 인재풀에서 경쟁하듯 인사를 영입하기 때문이라는 지적이 나온다. 정치권 관계자는 '여야가 당내 인재풀은 키우지 않고 선거 때만 되면 '흥행'이 될 만한 인물을 찾다 보니 검증이 부실하여 인사 사고가 반복된다. 선거 승리에만 매몰된 한국 정치의 고질병이다.'라고 비판했다.

이번 사안에서 정치 활동과 사생활의 경계 문제도 다시 도마 위에 올랐다. 장관 인사청문회 때마다 과거 사생활이 공직 업무와 얼마나 연관돼 있느냐의 문제가 늘 논쟁이었다. 민주당과 국민의힘도 여당이 되면 개인 검증을 비공개로 하는 '청문회 이원화' 방안을 제시했다. 공직자의 도덕성 검증을 하되 가족에게까지 인권침해가 가해지는 상황은 막아야 한다는 주장도 있다.

여러 논란에도 지도부가 외부에서 인사를 영입하는 이유는 크게 두 가지다. 첫째, 화제를 쉽게 얻을 수 있기 때문이다. 각 정당과 각 시도 당에도 선대위가 있어 주요 구성원만 수백 명은 되지만 정당 색채가 없었던 참신한 인물에 관심이 쏠린다. 둘째, 현행 시스템상 정당 내부 인재를 발굴할 기회가 많지 않다. 지방의원 등 선출직의 경우 그나마 정당 활동을 할 기회가 많지만 그렇지 못한 당원들은 당원 투표 외에는 정당 활동이 거의 없다. 이런 문제를 해결하기 위해서는 정당에서 활동할 기회가 많아져야 한다.

3. 고등학생 선대위원장

여야는 20·30 세대들의 목소리를 듣는다는 취지로 선대위 구성에 청년들을 앞세우고 있다. 심지어 고등학교 3학년을 전면에 내세우기도 했다.

민주당은 지난달 28일 '광주 대전환선대위 출범식'에서 이재명 후보를 소개한 인물 광주여고 3학년 남진희 양이 주목을 받았다. 올해 만 18세, 남 양은 광주시당 선거대책위 공동선거대책위원장을 맡았다. 남 양은 '대한민국이 올바른 방향으로 발전하는 데에 청소년, 청년의 목소리를 내고자 이 자리에 섰다. 깨어있는 시민의 조직된 힘이 민주주의 최후의 보루이다.'라고 했다.

국민의힘은 지난 6일 선대위 출범식에 인천국제고 3학년 김민규 군이 깜짝 등장했다. 김 군은 이 자리에서 '문재인 정부의 독선과 실정을 잘 알고 있지만 미래를 설계하는 데 더 몰두해 달라. 우리는 반대 진영을 모두 수구와 적폐로 모는 구태 정치를 단호히 끊어내는 새로움을 보일 것이다.'라고 발언했다. 선대위 출범식 직전 봉합된 선대위 인선 갈등에 대해서는 '국민의힘의 발자취는 항상 불협화음이었다. 그것이 우리가 이겨온 방식이다. 우리는 이번에도 승리할 것이다.'라고 했다.

이준석 대표와 이탄희 의원은 '고3 논쟁'을 벌이기도 했다. 이 대표가 김 군의 연설 영상을 올리며 '우리 고3이 민주당 고3보다 우월하다. 김민규 당원, 꼭 언젠가는 후보 연설문을 쓰고 후보 지지 연설할 날이 있을 것이다.'라고 한 게 발단이었다. 그러자 이탄희 의원은 '젠더 갈라치기를 넘어 이제는 고3도 '우리 고3'과 '민주당 고3'으로 나뉘는 것이냐. 말 한마디, 한마디에서 이준석 대표의 갈라치기 DNA가 느껴진다.'라고 했다.

젊은 학생들이 정치 한복판에 나서는 것은 매우 용감한 일이다. 하지만 전면에 나선 학생들이 서로 다른 진영에서 비난받기도 한다. 앞으로는 용기 있는 학생들에게 비난보다는 격려를 해줘야 한다.

2021년 11월 28일, 이재명 후보가 광주시 서구 김대중컨벤션센터에서 열린 광주 대전환선대위 출범식에서 광주여고 3학년인 남진희 공동선대위원장을 소개하고 있다.
(사진 출처: 연합뉴스)

4. 정의당 버스 민생 투어

심상정 정의당 후보는 '심상찮은 버스 6411' 출정식을 열고 전국 민생 투어를 시작했다. 버스 번호 6411은 노회찬 전 의원이 생전에 남긴 발언에서 비롯됐다. 노 전 의원이 2012년 7월 21일 진보정의당 대표 수락 연설에서 '6411번 버스라고 있습니다. 이 버스는 새벽 4시 정각 서울시 구로구 가로수 공원에서 출발해서 15분이 지나면 만석이 됩니다. 이들은 강남의 여러 빌딩에 새벽 5시 반에 출근해 청소하는 이름이 불리지 않는 미화원 아주머니들입니다.'라고 소개하면서 알려졌다.

심 후보는 "'심상찮은 버스 6411'이 우리 사회의 가장자리를 지키고 있는 전국의 이름 없는 시민들을 만나 민심 에너지를 싣고 오겠다.'라고 말했다. 투어 첫 일정으로 충청·세종 지역을 방문해 태안화력발전소에서 숨진 김용균 노동자의 3주기를 추모했다. 이번 선거 운동은 정의당의 정체성에 맞는 행보였다.

지난 대선 때 심 후보의 득표율은 6%가 넘었으나 현재 여론 조사에서는 심 후보 지지율이 4% 정도이다. 언제부턴가 정의당은 국민으로부터 지지와 관심을 덜 받게 되었다. 그 배경에는 두 가지 요인이 있다. 첫째, 정의당 출신 젊은 국회의원의 활동이 지나치게 여성정책 편향적이다. 물론 쟁점이 되는 일들만 주목받아 생긴 편견일 수는 있다. 둘째, 노동환경이 많이 바뀌었다. 과거 공장에서 일하는 단순 노동자들의 환경이 많이 개선되었기에 그들의 이익을 대변하는 활동이 줄어들 수밖에 없다. 그리고 친노동 정책을 펼치는 민주당과 결을 같이 하다 보니 정의당의 정체성 문제가 발생했다. 정의당은 이러한 문제를 타개하기 위해 민주당을 정치적으로 공격하며 과격한 주장을 펼치고 있다.

아무리 노동권이 개선되었다고 하나 자본주의 내에서 노동자는 언제나 보호받아야 할 존재이다. 사회적 약자인 노동자를 대변한다면 정의당은 지속 가능한 정당이 될 수 있을 것이다.

5. 여야의 돈 풀기 경쟁

여야가 대선을 앞두고 돈 풀기 경쟁을 펼치고 있다. 소상공인 지원을 위한 '50조 원 추가경정예산안'을 경쟁하듯 띄우고 있다. 김종인 국민의힘 총괄선거대책위원장이 코로나19로 경제적 피해 손실보상 규모로 '100조 원 카드'를 꺼내 들자 이재명 후보가 환영의 뜻을 내비쳤다. 여기에 송영길 대표가 100조 원 지원 방안 마련을 위한 여야 4자 회동을 제안하면서 판을 키웠다.

천문학적 재정을 동원해야 하는 구상이므로 국가 재정에 큰 후유증을 남길 수 있다. 여야 모두 '코로나 민심' 확보 경쟁에 몰두한 가운데, '포퓰리즘' 공방을 벌이고 있다는 지적도 나온다. 내년도 예산안을 처리한 지 일주일도 지나지 않은 가운데 또다시 추가경정예산 논의가 불가피한 상황이다.

올해 2차 추경 기준 국가채무는 965조 3,000억 원으로 내년에는 1,000조 원을 넘으리라는 전망이 나오고 있다. 정부는 국가 재정건전성 우려가 있다.

통계청에 따르면 2012년 국가자산이 8,677조 원. 현재는 경 단위일 것으로 추정된다. 산업 규모에 따라 국가부채가 자산과 함께 증가하는 것은 자연스러우나 국가 위기 상황에서는 재정건전성을 논하는 것이 설득력이 떨어진다. 재정건전성이란 유사시 채권을 발행하기 위해 고려하는 항목이기 때문이다.

대다수 국민은 국가에서 무상으로 시행하는 여러 가지 정책과 사업에 대해 거부감이 있는 듯하다. 하지만 양극화가 심해질수록 국가의 역할이 커진다. 징수된 세금을 다시 국민에게 배분하는 것은 가장 중요하고 적극적인 국가의 역할이다. 내년에 걷어 들이는 세수에 비해 지출이 지나치게 않는 범위라면 국가 지원 정책에 대한 논의는 더욱 활발해져야 한다.

6. 후보들의 가족 리스크

여야 후보들의 가족을 둘러싼 공방이 계속되고 있다. 이재명 후보 장남이 2019년 10월, 한 인터넷 포커 커뮤니티에 쓴 글에 성매매를 암시하는 내용과 친구의 성매매 비용을 내줬다는 표현이 노골적으로 담겨있어 논란이다.

국민의힘 윤석열 후보의 부인 김건희 씨는 경력과 관련한 의혹이 일었다. 김 씨는 교수 임용 이력서에 뉴욕대에서 연수를 받은 것처럼 기재했다. 여권은 서울대 지도자 과정의 하나인 것을 뉴욕대에서 9일 교육받은 것처럼 학력란에 기재하여 경력을 부풀렸다고 비판했다.

후보 본인이 아닌 가족들에 대한 의혹 제기가 일자 정치에 대한 불필요한 혐오를 불러일으키는 것이 아니냐는 의견이 있다. 가족과 관련한 의혹들은 과거에는 쉬쉬해 오던 것들이다. 그렇기에 당장은 피로감을 줄 수 있으나 장기적으로는 정치인 자격에 높은 윤리적 기준을 적용하게 할 것이다.

이 후보 아들의 도박성 매매 의혹, 윤 후보 부인 김건희 씨의 허위 경력 의혹 및 장모의 불법행위에 따른 실형 등에 대해 특별히 옹호하거나 비판하고 싶지 않다. 국민이 후보에 대해 균형 잡힌 시각으로 판단해야 한다.

양측은 '가족 리스크'로 서로를 공격하고 있다. 민주당에선 이 후보 아들 의혹이 불거진 것이 야권의 기획 공세라는 주장이 나왔고, 국민의힘 역시 김 씨의 허위 이력 의혹에 대해 민주당과 마찬가지로 여권의 기획 의도가 있는 정치 공세로 치부했다.

김종인 국민의힘 총괄선대위원장이 여야의 이런 네거티브에 대해서 '후보들이 직면한 문제를 어떻게 해결할 것인지에 초점을 맞춰서 논쟁해야 한다. 더 이상의 네거티브 전쟁은 그만했으면 한다.'라고 말했다.

윤 후보는 국민 앞에 한 번도 검증되지 않은 후보다. 민주당이 의혹을 제기하는 건 당연하다. 이것을 네거티브로만 치부하는 건 검증받기 싫어하는 것과 같다. 지지율이 비슷한 상황에서 네거티브를 그만하자는 김종인 위원장의 발언은 윤 후보가 공격받을 게 더 많다고 해석할 수도 있다.

7. 국민의힘 캠프, 신지예 합류 논란

국민의힘 새시대위원회 수석부위원장으로 합류한 신지예 전 한국여성정치네트워크 대표에 대해 청년 정치인들이 비판적인 의견을 쏟아내고 있다. 신지예 수석부위원장은 '저의 가장 큰 목표는 정권 교체를 이루어서 성폭력과 성차별, 2차 가해의 피해자들이 숨죽이고 살지 않게 만들기 위한 것이다.'라고 말했다.

신 부위원장은 녹색당 대표까지 지낸 대표적인 페미니스트 정치인으로 한국여성정치네트워크 대표를 역임했다. 특히 지난 2018년 지방선거 때 '페미니스트 서울시장'이라는 슬로건을 내걸고 출마하여 시선을 집중시킨 바 있다. 이러한 이력 때문에 신 부위원장의 국민의힘 선대위 합류를 놓고 여야 모두에서 비판의 목소리가 나오기도 했다.

신 부위원장의 합류를 두고 국민의힘 이경민[9] 서울시당 부대변인은 '몇 번 쓰고 버리면 된다. 신지예[10] 대표는 '생계형 페미'라는 의구심이 사라지지 않는다. 자리만 좋으면 언제든지 국민의힘에 투항할 준비가 됐다.'라며 지적했다.

신 부위원장은 여성운동뿐 아니라 환경과 노동 등에 진보적인 견해를 가지고 있다. 언론매체를 통해 이준석 국민의힘 대표와 대립각을 세웠다. 이런 인물을 국민의힘에서 합류 요청한 것이 부자연스럽다. 이 요청을 수락한 신 부위원장의 태도도 매우 부적절하다.

국민의힘은 20·30 세대 여성 지지율이 낮으므로 신지예 씨를 이용하겠다는 전략 같다. 신 부위원장은 출세를 위해 큰 정당에서 활동해야 할 필요성을 느꼈을 것이다. 본인과 토론하던 이준석 대표가 제1야당 대표가 되었기 때문이다. 페미니즘을 이용하는 것으로도 보인다. 그러나 정치권에서 철학과 소신을 이렇게 쉽게 버려서는 안 된다. 명분 없이 실리를 쫓는 정치인의 행보는 곧 몰락을 의미한다.

---

9 2021년 12월 30일, '신지예 쓰다 버리면 된다.'라고 발언한 서울시당 이경민 부대변인이 직을 박탈당하고 징계 심의에 들어갔다.

10 022년 1월 3일, 지지율을 깎고 있다고 비판받았던 신지예 부위원장은 직책에서 물러난다는 페이스북 글을 올리고 사퇴했다.

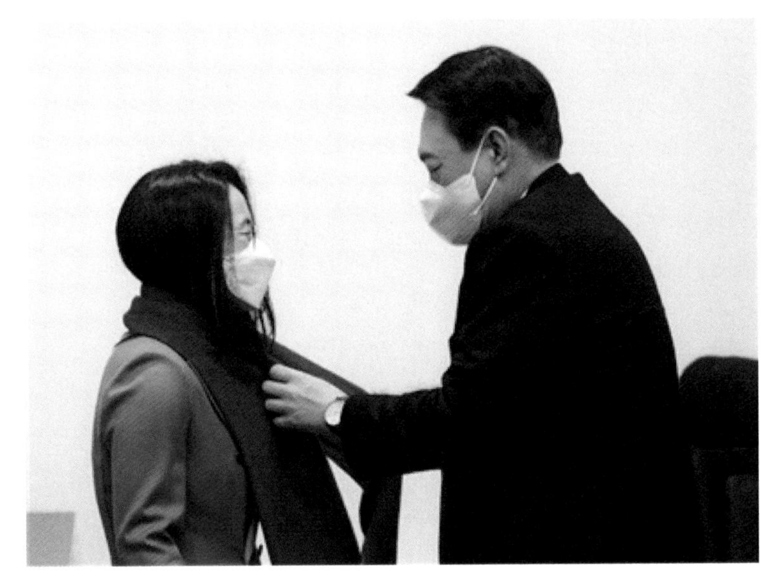

2021년 12월 20일, 서울 여의도 새시대준비위원회 사무실에서 열린 영입 인사 환영식에서 윤석열 후보가 수석부위원장으로 영입된 신지예 한국여성정치네트워크 대표에게 빨간 목도리를 걸어주고 있다.

(사진 출처: 연합뉴스)

8. 후보자들, 당과의 갈등

이재명 후보가 내세운 다주택자 양도소득세 중과 유예안을 두고 당내 갈등이 있다. 여론은 정권교체가 반수가 넘었다. 여러 가지 원인이 있겠지만 대부분 부동산정책의 실패를 꼽는다.

대선 승리를 위해서는 잘못되었다고 평가받은 정책에 대해서도 우리 민주당 이념 내에서 과감하게 방향을 틀어야 한다. 용기 내어 잘못을 인정하는 태도 또한 필요하다.

다주택자 양도소득세 중과가 이미 시행되고 있기에 이를 더 강화한다는 입법에 대해 유예를 두자는 것이다. 이 후보가 가는 방향에 대해 힘을 실어줄 필요가 있다.

국민의힘은 이준석 대표가 선대위 직책을 내려놓은 데 이어 조수진 최고위원도 공보단장직을 내려놓았다. 이에 윤석열 후보의 책임론이 거론되고 있다. 국민의힘 지지자들이 이 대표를 비판하는 이유는 자기 정치를 하기 때문이다. 윤 후보에 힘을 실어주기보다 정반대의 행보를 보인다.

과거의 대선 이후 정당 상황을 보자. 승리 후 당 대표는 주요 당직을 맡거나 청와대 비서관이나 장관 등의 요직에 오른 뒤 국회의원 공천을 받았다. 하지만 패배하면 당 대표는 책임을 갖고 사퇴했다. 후보와 정치적 운명을 함께 할 수밖에 없다. 도중 사퇴한다는 건 일반적이지 않다.

이 대표는 윤 후보가 패배할 수 있다는 생각에서 선거 직책에서 물러난 듯하다. 반면에 윤 후보가 승리한다면 이 대표의 당내 입지는 지금보다 더 안 좋아질 것이다. 이 대표로서는 거취에 대한 고민이 컸을 것이다.

9. 병역 모병제

이재명 후보는 단기간 복무하는 징집병과 오래 복무하는 전투부사관 중에서 개인이 선택하도록 하는 '선택적 모병제'를 공약으로 내놓았다. 심상정 후보는 징병·모병제 혼합제인 '단계적 모병제'를 제시했다. 안철수 후보도 일반병 규모를 대폭 줄이고 전문부사관을 군 병력의 50%까지 확대하는 '준 모병제'를 도입하겠다고 공약했다.

모병제로 전환하는 건 시기의 문제지 자연스러운 흐름일 것이다. 하지만 출산율이 저하되고 있는 현재로서는 모병제를 도입하기 어렵다. 이에 이 후보가 제시한 '선택적 모병제'는 현행 징병제는 유지하되 병역기간을 단축하고 대신 전투 전문부사관을 신설하여 공백을 메우는 것이다. 부사관 지원율에 따라 병사 군 복무기간을 유동적으로 조절할 수 있다는 점에서 현실적이라는 평가를 받고 있다.

10. 윤석열 후보, 30대 장관 나오게 하겠다

이번 대선에서 여야 모두 청년 세대에 각별한 구애를 보내고 있다. 30대 장관을 언급한 것이 그 예이다. 더불어민주당 이재명 후보가 '30대 장관이 나오는 유럽 사회가 부럽다.'라는 뜻을 밝히자 국민의힘 윤석열 후보는 '30대 장관이 많이 나올 것이다.'라며 정부 구상을 내비쳤다.

능력이 있지만 나이가 어리다는 이유로 출세를 가로막는 사회는 바람직한 사회가 아니다. 이 후보는 그런 취지로 발언한 것으로 보인다. 하지만 윤 후보는 한발 더 나아가 정부 구상을 이야기했다. 주요 정부 요직에 나이를 따지지 않겠다는 의미가 내포되어 있다.

요즘의 시대 과제는 '공정'이다. 국민은 능력에 맞지 않는 출세를 하는 것도 공정하지 않다고 여긴다. 이런 측면에서 30대 장관을 배출하겠다는 발언은 다소 경솔한 면이 있다.

11. 토론회 횟수

더불어민주당이 대선 토론회 횟수를 3회 이상에서 7회 이상으로 늘리는 법안을 추진하고 있다. 국민의 올바른 판단을 위해 대선 후보 토론은 매우 중요하다. 우리나라는 과거 방송 3사에 맞게 토론 횟수를 3회로 정했으나 현재는 공영방송 외에도 방송사가 많아졌다.

토론 횟수가 증가하면 국민의 알권리를 충족시켜야 한다. 국민의힘은 토론하면 윤 후보의 지지율이 낮아질 것이라 생각해서인지 관련 법안 통과에 소극적이다. 이번에는 합의되지 못하더라도 다음 선거부터는 법정 토론 횟수를 늘릴 필요가 있다.

2021년 12월 23일, 더불어민주당 박주민 의원은 TBS '김어준의 뉴스공장'에 출연해 '김승남 의원이 선거 운동 기간 3회 이상, 선거 운동이 시작되기 전 3회 이상으로 총 6회 이상 토론을 하는 내용의 법안을 발의했다. 저도 공동발의에 참여했다.'라고 말했다.

(사진 출처: 연합뉴스)

12. 학생부종합전형 폐지

안철수 국민의힘 후보는 학생부종합전형 폐지를 검토하겠다고 약속했다. 대학의 서열화로 인한 학벌 중심 사회가 국가경쟁력의 발목을 잡고 있기 때문이다. 이를 타개하기 위해 대학에서는 대학이 추구하는 인재상에 맞는 학생을 선별하려고 노력하고 있다. 학생부종합전형도 이와 방향이 같다.

학생부종합전형을 폐지하고 학력고사로 회귀하는 것은 문제를 회피하는 모습으로 보인다. 미래를 그려나가야 하는 정치인이라면 교육정책을 어떻게 개선해 나가야 할지에 대해 더 고민해야 한다.

13. 신년 여론 조사, 치열한 접전

TV조선과 조선일보가 공동으로 신년 여론 조사를 했다. 이재명 후보와 윤석열 후보가 치열한 접전을 벌이는 것으로 나타났다. 한 달 전 조사에서는 윤석열 후보가 오차범위 밖에서 앞서고 있었는데, 이번에는 그 차이가 의미가 없을 정도로 접전이다.

대선에서 누가 대통령이 되는 것이 더 좋다고 생각하느냐는 질문에 응답자 32.4%가 더불어민주당 이재명 후보를 꼽았다. 국민의힘 윤석열 후보는 31.4%였다. 반면 정당 지지율은 국민의힘이 더 높은 34.4%, 민주당 28.4%로 나타났다. 정권 교체론은 54.5%로 매우 높았다. 이와 달리 윤 후보의 지지율이 낮은 이유는 후보자의 경쟁력이 부족함을 의미한다.

정권 교체론이 연중 내내 높다면 선거까지 접전이 예상된다. 한 가지 변수는 안철수 후보의 행보다. 국민의힘 경선이 끝나자 홍준표 후보와 유승민 후보의 청년 지지자들이 안철수 후보로 대거 이동했다. 안 후보가 사퇴하지 않는다면 이 후보의 당선 가능성이 커진다. 두 후보 중 누가 당선되더라도 당선되지 않은 후보를 지지하던 목소리를 무시해서는 안 된다.

유독 결과를 알 수 없는 제20대 대통령 선거이다. 치열한 만큼 선거 후에는 서로 화합하며 어려운 경제 여건을 헤쳐나가 한국 정치사를 밝게 만들어주길 기대한다.

2021년 12월 31일, TV조선·조선일보가 의뢰한 신년 여론 조사에서 두 대통령 후보는 초접전 양상을 보인다.

(사진 출처: TV조선)

제8장.

맺으며

"내가 정치를 하는 이유"

1. 선거, 그 후

2. 제22대 국회의원 선거가 주는 의미

3. 내가 정치를 하는 이유

1. 선거, 그 후

2022년 3월 9일, 유권자 수 44,197,692명(투표율 77.1%)을 기록한 제20대 대통령 선거에서 국민의힘 윤석열 후보가 16,394,815표(48.56%)로 더불어민주당 이재명 후보의 16,147,738표(47.83%)를 0.7% 득표율 차이로 이겼다. 3위를 차지한 정의당 심상정 후보는 803,358표(2.37%) 득표에 그쳤다. 당분간 제3지대는 없을 듯하다는 전망이 많다.

대선에서 패배한 이재명 후보는 2022년 6월 1일 국회의원 재·보궐선거에서 인천 계양구 국회의원에 당선됐다. 이후 더불어민주당 당 대표로 선출됐다. 선거기간 이재명 후보는 '선거는 축제다. 축제가 끝나면 승자는 패자를 위로해 주고 패자는 깔끔하게 결과에 승복하는 자세가 필요하다.'라고 강조했다. 그러나 윤석열 대통령은 이재명 대표에 대해 수

사가 필요하다며 이재명 대표를 만나지 않는다.[11]

대선이 끝난 지 일 년이 훌쩍 넘었다. 곧 종결될 것이라 믿었던 우크라이나와 러시아 전쟁은 장기간 지속되고 있다. 미국과 중국의 수출 전쟁 또한 현재진행형이다. 코로나 팬데믹의 종결과 함께 높아진 물가를 잡기 위해 전 세계 은행들은 금리를 인상하여 가계 경제는 매우 취약해졌다. 부동산 경기는 메말랐고 기업의 수출이 어려워지자 세수 또한 적자 상황에 빠졌다.[12] 위기를 헤쳐나가기 위해서 화합을 끌어낼 슬기롭고 현명한 지도자가 필요하다.

---

11 2023년 9월 23일, 이재명 민주당 당 대표는 민생문제를 해결하기 위해 영수 회담을 제안했지만 대통령실에서는 '드릴 말씀 없다.'라는 답변으로 거절 의사를 밝혔다.

12 2023년 9월 31일, 기획재정부가 발표한 '6월 국세 수입 현황'에 따르면 국세 수입이 대폭 감소했다. 세수가 44조 원 넘게 부족하다.

2022년 2월 28일, 저자 김관형이 충남대학교 정문 앞에서 펼쳐진 유세 현장에서 이재명 후보 지지를 호소하고 있다.

2. 제22대 국회의원 선거가 주는 의미

단지 0.7%의 득표 차이로 당선된 윤석열 대통령은 본인에게 표를 주지 않았던 국민의 과반수를 포용하려는 정치적 리더십을 발휘하고 있지 못하다. 어려운 경제 여건 속에서 국민에게 필요한 건 이념전쟁이 아니다. 다수의 의석을 차지하고 있는 제1야당 민주당과 협치하여 예산을 집행해야 한다. 타협의 부재로 인한 피해는 고스란히 국민에게 돌아간다. 아직 정권 초기임에도 지지율이 낮다.[13] 낮은 자세로 국민을 섬기라는 의미이다.

2024년 4월 10일에 치러질 국회의원 선거는 대통령의 국정 기조를 판단하는 시금석이 될 수 있다. 임기 마지막까지 함께할 구성원을 결정

13 취임부터 2023년까지 각종 여론 조사에서 대통령의 긍정 평가는 부정 평가를 앞지른 적이 없다. 여당인 국민의힘 지지율도 40%를 넘기지 못하고 있다.

하는 선거이다. 윤 대통령은 국가의 미래를 밝힐 비전을 제시하지 못하면 의석의 과반수를 확보하기 어려울 것이다. 현 정부와 여당의 태도 변화 없이는 제22대 국회의원 선거에서 국민의힘은 패배할 수밖에 없다. 더불어민주당은 선거에서 승리하여 입법부를 무시하는 정부의 태도가 잘못되었음을 알려야 한다.

3. 내가 정치를 하는 이유

뷰캐넌(James Buchanan)의 공공선택이론에서는 정치인이 이익을 추구함을 가정한다. 정치인의 이익이란 '당선 가능성'이다. 정치인들은 자신들의 이익을 위해 정당의 공천을 받아야 한다. 공천 없는 출마는 불가능에 가깝다. 유권자에게 끼치는 정당의 영향력이 매우 강하기 때문이다.

과거 당 총재 시절에 총재 한 명의 영향력은 절대적이었다. 영향력을 가진 사람에게 맹목적인 충성이 필요했기에 국회의원 각자가 독자적인 목소리를 크게 내기가 어려웠다. 요즘은 국민과 당원들에 의해 선택을 받는 방법으로 공천 절차가 민주적으로 진화했다. 하지만 여전히 적극적인 소수 당원에 의해 좌지우지될 수 있다는 단점이 있다.

정치를 하려는 사람은 정치적 이익을 추구하면서도 정치인으로서의 '정치를 하는 목적'이 있어야 한다. 선출직 공무원은 정당 내 목소리와 국민의 목소리도 함께 받아낼 수 있어야 한다. 소신을 지키되 자신과 다른 의견을 적대시해선 안 된다. 정치란 설득의 기술이 필요하기 때문이다. 이견을 조율하기 위한 기준은 '정치를 하는 목적'에서 찾아야 한다.

내가 정치를 하는 이유는 '공공을 위한 일'에 보람을 느끼기 때문이다. 조세 전문가로서 대학과 실무현장에서 전문지식과 관련한 강의를 하였다. 더 많은 대중을 만나고 싶은 욕심이 생기던 차에 스승 덕에 정치에 입문하였다.

선출직 공무원만이 정치를 할 수 있는 것은 아니다. 국회의원이나 지방자치단체장을 돕는 정무직 공무원이 되거나 당원이 될 수도 있다. 하지만 나는 선출직 공무원으로서 약자들을 위한 정책을 머릿속에 그릴 때 큰 행복을 느꼈다. 정책의 수혜자가 될 이들을 직접 만나 눈을 마주치고 악수를 할 수 있음에 감사했다. 앞으로도 '내가 정치를 하는 이유'를 상기하고 노력할 것이다. 진정으로 모든 국민이 즐겁고 행복한 삶을 영위하는 꿈을 꾸며.